Bro a Bywyd
Aneirin Talfan Davies

Golygydd / Ifor Rees

Cyngor y Celfyddydau 1992

Rhagair

Mynych y clywais i Aneirin yn sôn yn Feiblaidd am 'brynu'r amser'.
Ac os bu rhywun erioed yn *byw'r* ymadrodd yna, Aneirin oedd
hwnnw. Meddylier am ei holl gynnyrch llenyddol, ei gyfrolau ar
James Joyce, T.S. Eliot, Dylan Thomas, ei ysgrifau beirniadol ar
feirdd a llenorion Cymru ac ar David Jones a William Barnes, y bardd
o Swydd Dorset, ei ddwy gyfrol ar *Crwydro Bro Morgannwg*, a'i glasur
o lyfr taith *Crwydro Sir Gâr*.

Golygodd hyn oll waith ymchwil anferth iddo, a'r cyfan yn ffrwyth ei
oriau hamdden prin. Ond cynhyrchodd lu mawr o raglenni radio
llenyddol, a'r rheiny wedyn yn cael eu cyhoeddi'n gyfrolau diddorol a
swmpus. Gyda dyfodiad y teledu, bu ei ffilmiau ar bynciau crefyddol
a'i gyfres 'Dylanwadau' yn gerrig milltir yn hanes y cyfryngau. Ar ben
hyn, sefydlodd a chynnal dau gylchgrawn am flynyddoedd, sef,
Heddiw a *Llafar*; ysgrifennodd lu o ysgrifau i gylchgronau amrywiol
eraill, a chyfrannodd ei nodion ar 'Ar Ymyl y Ddalen' i *Barn* am
gyfnodau hirion.

Cofiaf yn glir y tro cyntaf i mi daro llygad ar Aneirin. Roedd yn
annerch cyfarfod awyr agored Plaid Cymru ar gornel stryd yn ymyl fy
hen ysgol ym Mynydd-bach, Abertawe. Yr adeg honno hefyd fe
sefydlwyd Clwb Cymraeg yn Abertawe, a'i alw'n 'Gymdeithas Twm
o'r Nant', gydag Aneirin, a'i frodyr Elfyn ac Alun ymhlith y
ffyddloniaid. Arferwn alw o dro i dro am sgwrs yn ei siop fferyllydd
yn Heathfield Street, Abertawe, a chael, er fy llencynrwydd, groeso
parod a chynnes ganddo. Yn ddiweddarach bu'n bennaeth graslon a
charedig arnaf yn y BBC. Ymladdodd Aneirin yn ddi-ildio dros y
Gymraeg yn uchel lysoedd y BBC yn Llundain, ond yn ogystal, fe
geisiodd, drwy ei amryfal weithgareddau, bontio'r gwagle diffrwyth
rhwng y Cymry Cymraeg a'r di-Gymraeg. Brwydrodd Aneirin,
mewn amser, ac allan o amser, i ddatod canolfur y gwahaniaeth
rhwng pobl a'i gilydd. Ac yn hynny, megis ymhob dim arall a
gyflawnodd, fe 'brynodd ei amser' hyd yr eithaf.

Ifor Rees

1. Tad Aneirin – Y Parch.
William Talfan Davies. Brodor o
Ysbyty Ystwyth, Sir Aberteifi, mab
i David ac Elisabeth Davies. Bu'n
weinidog ar gapel Closygraig,
Felindre ger Castell Newydd
Emlyn 1903-1911 a Libanus,
Gorseinon 1911-1938.

'Yr oedd yn batrwm o weinidog,
yn Gristion mawr am ei fod yn
optimist, a'i arabedd llifeiriol a'i
hiwmor iach mor naturiol â'r
ffynnon yn tarddu.'

Y Goleuad, 19 Hydref 1938.

2. 'Y Bwthyn'

'Y Bwthyn', Ysbyty Ystwyth lle
magwyd y Parchedig William
Talfan Davies. Fe fabwysiadodd y
'Talfan' o'r enw oedd ar y graig
uwchben y tŷ hwn.

3. Mam Aneirin – Alys Jones,
merch fferm Pant-y-barcud, Cwm
Hiraeth, Drefach, Felindre.

'A chwm yr adar mewn
gwirionedd yw Cwm Hiraeth.
Gwyddwn am gartrefi'r cwm er yn
blentyn, ond Y Cynghorydd John
Evans, hanesydd clodwiw'r
Felindre a dynnodd fy sylw at y
ffaith fod cymaint ohonynt yn
dwyn enwau adar. Pant-y-Gôg a
Phant-y-Gwcw, Pant-y-Wennol a
Phant-y-Barcud; Pant-yr-Hebog a
Nant-yr-Eos, a'r nant ei hunan,
wrth gwrs, wedi'i chysylltu âg enw
aderyn.'

Crwydro Sir Gâr

3

4.   Yr hen ffatri wlân oedd ar dir Pant-y-barcud.

5.   Ffermdy Pant-y-barcud fel ag y mae heddiw.

6.   William Talfan Davies a'i frawd David.

'Gweinidog yn Walham Green, Llundain ac wedi hynny yng Nghonwy, Sir Gaernarfon. Yr oedd yn gyfaill i Lloyd George a phob noswyl etholiad mynnai Lloyd ef yn gydymaith a chyd-areithiwr ag ef i grwydro'r etholaeth. Yn ôl a glywais yr oedd yn areithiwr ysgubol. Bu farw'n gynnar, fel ei fab Bernard a oedd yn un o gyfeillion mynwesol Cynan ac R. Williams Parry. Yr oedd yn actor da a chyhoeddodd ddramâu. Cyfeirir ato yn un o delynegion R. Williams Parry "Ffeiriau":

    "Pan awn i ffair Caernarfon
    Cawn yno dri i'm cwrdd
    A boddus iawn y byddem
    Yn bedwar wrth y bwrdd,
    Dynion oedd dau ohonynt
    Â gwydnwch yn eu gwedd
    Mae Bernard wedi braenu
    A Gwynfor yn ei fedd."

Mewn nodyn ar y gân dywed R.W.P. "Bernard – y diweddar Bernard Davies bancer ifanc, ac un o ddarlledwyr mwyaf llwyddiannus Sam Jones ym Mangor".'

Ar Ymyl y Ddalen, Awst 1974

7

8

9

7. Triawd o frodyr ifainc –
Elfyn, Aneirin a Goronwy.

8. Y teulu cyfan – o'r chwith i'r
dde – Y Fam, Alun, Aneirin,
Elfyn, Y Tad a Goronwy.

9. Tri o lanciau ifainc – Aneirin,
Elfyn, Goronwy.

10

10.   Mari ac Aneirin yn Llundain.

'Pa flwyddyn yr euthum i Lundain i chwilio am waith fel fferyllydd ni fedraf gofio ond blwyddyn Ysgol Haf y Blaid Genedlaethol ym Mrynmawr oedd hi, rwy'n siwr o hynny. Oherwydd yno y cyfarfum yn iawn â'r eneth oedd i ddyfod yn wraig ac yn gefn i mi am flynyddoedd . . . Cyn hir yr oeddwn ar strydoedd Llundain yn ymdreiglio o fferyllty i fferyllty, mewn ymchwil ofer am waith. Un diwrnod fe'm cefais fy hun yn Oxford Street, y tu allan i siop Selfridges, a phwy a welais ond yr eneth y rhoddais fy mryd arni. Ei chyfarchiad cyntaf oedd "Un pert wyt ti! Ble mae'r llythyr 'na yr addewaist ei ysgrifennu ataf?". "Ond mi wnes" protestiais. Bu'r llythyr hwn yn destun tynnu coes am flynyddoedd; yn wir tan inni briodi. Rhyw ddiwrnod wrth osod trefn ar fy nillad deuthum o hyd i'r llythyr, yn ei amlen, wedi'i gyfeirio a'i stampio, ond yn amlwg heb ei bostio!'

Ar Ymyl y Ddalen, Hydref 1979

11

11.   Mari yng ngwisg ffasiynol ddiweddaraf y tridegau.

       Cariad
'Blagura cariad yng Ngethsemane'r galon
fel pum rhosyn rhudd y grôg;
ac nid oes
na brudio gwarth
na brâd gwen
na chwys
na chusan
a'u hetyl'

Diannerch Erchwyn a cherddi eraill

12. Mari Evans (ail o'r chwith) gyda rhai o'i chyd-fyfyrwyr yng Ngholeg Hyfforddi'r Barri yn 1931.

13. Mari, a'i dosbarth o blant, pan oedd yn athrawes ifanc yn Hoxton, Llundain.

14. Rhieni Mari, gwraig Aneirin – George ac Abigail Evans.

'Morwr oedd ei thad a hannai o Landudoch, a'i Mam o dref Aberteifi. Miss Jenkins oedd hi cyn priodi, a medrai olrhain ei hachau yn ôl at Jenkinsiaid Cilbronnau ym mhlwyf Llangoedmor ger Aberteifi. I'r teulu hwn y perthynai'r Parchedig John Jenkins, Ifor Ceri, un o glerigwyr llengar y ddeunawfed ganrif a'r bedwaredd ganrif ar bymtheg. Dewisodd fy nghyfaill Yr Athro Stephen J. Williams y gŵr yma yn destun i'w ddarlith agoriadol fel Athro Cymraeg Coleg y Brifysgol, Abertawe yn 1954. Anfonodd gopi o'i ddarlith i 'mhriod wedi ei lofnodi "I Mari, un o deulu Ifor Ceri".'

Bro Morgannwg Cyf. 1

15

16

18

17

15. Priodas Mari ac Aneirin yn Salem, Capel Bedyddwyr Y Barri ar 1 Mehefin, 1936.

16. Tair cenhedlaeth – Aneirin, ei dad, a'i fab Owen a anwyd yn 1938.

17. Rhai o'r teulu yn Mans Libanus Gorseinon fis Gorffennaf 1938 – Mari ac Owen (yn fabi bach), Elfyn, Alys Talfan, Alun a'r Parch. William Talfan.

18. Mari – ac Owen yn grwt direidus.

19. Y brodyr ifainc Owen a Geraint yn carco'u chwaer fach Elinor yn ei phram.

20. Y Scowt cyfrifol (Owen) yn gofalu am ei frawd bach, Geraint.

19

20

21

22

21. Cartre'r teulu yn Abertawe – 78 Sketty Road.

22. Cartre'r teulu yn Y Barri – 13 Maesycwm Street – pan oedd Aneirin yn Gynhyrchydd Sgyrsiau (radio) ac yn gweithio'n bennaf o stiwdios y BBC yn Park Place, Caerdydd.

'Ond mi ges innau'r fraint o fyw yma am rai blynyddoedd a deuthum i werthfawrogi rhin y dref a chynhesrwydd ei chymdeithas.'

Bro Morgannwg Cyf. 1

23a

23b

23a   Plant Ysgol Feithrin gyntaf Y Barri y bu Mari ac Aneirin ynghyd â rhieni Cymraeg y dref yn ymgyrchu i'w sefydlu – yn y cyfnod pan oedd Aneirin yn aelod o Gyngor y Dref.

23b   Dosbarth Hŷn Ysgol Gymraeg Y Barri, Gorffennaf 1952. (Geraint Talfan yw'r bachgen sy'n sefyll ar ochr dde'r llun.)

24.   Cartre'r teulu yng Nghaerdydd – 98 Pencisely Road, Llandaf.

25.   Aneirin, Mari ac Owen yng ngardd 98 Pencisely Road, Llandaf.

24

25

26

27

26. Rita Street a ymbriododd ag Owen, a'u mab Simon a anwyd iddynt yn 1961.

27. Bu farw Owen yn 1963 mewn damwain car ar ei ffordd i ffilmio, gyda Julian Pettifer, stori ar gyfer cyfres deledu'r BBC 'Tonight'. Mae bedd Owen ym mynwent Eglwys Gadeiriol Llandaf.

'Piau'r bedd tan yr ywen?
Hoywlanc lluniaidd a llawen
Y daeth ei lachar rawd i ben'

Diannerch Erchwyn a cherddi eraill

28. Aneirin, Mari a Geraint – llun a dynnwyd yn 1962.

29. Diwrnod graddio Geraint yn Rhydychen yn 1966.

O'r chwith i'r dde – Elinor, Margaret Jenkins, Aneirin, Elisabeth (gwraig Geraint), Geraint a Mari.

28

29

30.   Aneirin yn derbyn gradd anrhydeddus MA Prifysgol Cymru yn Abertawe yn 1958.

31a   Yr offeiriaid a wasanaethodd ym mhriodas Elinor a Dr Lynn Edwards yn Eglwys Dewi Sant, Caerdydd, yn 1968 oedd (o'r chwith i'r dde) y Parchedigion Willy Morris, Goronwy Talfan, G.O. Williams, George Noakes ac R.M. Rosser.

31b   Mari gyda William – mab cyntaf Elinor a Lynn – adeg ei fedyddio 5 Hydref, 1969.

32.   Dr Lynn Edwards, gŵr Elinor, ac yn feddyg ymgynghorol yn Llundain. Bu farw Lynn ym 1991.

33

34

33.   Geraint, Elinor, Aneirin a
Mari adeg anrhydeddu Aneirin â'r
OBE yn 1970.

34.   Simon, ŵyr Aneirin, a mab i
Owen a Rita, a fu farw yn
Awstralia yn 1981.

35

35.   Aneirin a Mari tua diwedd eu bywyd. Bu farw Mari yn 1971.

Nadolig 1970

Mynwent Llandaf

Mewn ieuanc fedd gorweddi
Yn farw, yn fyddar i firi
Hen Ŵyl lawen y Geni.

Yn dyner arnat y rhoddwn
Gelyn y fro, a'u haeron crwn
Ni'th dawr y pigau y bore hwn.

Miniog y celyn arnad;
(Goched yr aeron O! Dad)
Gwyrdd yr hiraeth amdanad.

Llewycha lawen seren siriol
Cenwch engyl ddifai garol
I'r dyner Fam a Mab ei chôl.

Gweddïa drosom, O! Fair rasol.

Diannerch Erchwyn a cherddi eraill

36

98, Pencisely Road,
Caerdydd.

Annwyl Joan ac Ifor,

Oherwydd nifer y llythyrau a dderbyniais y mae eu hateb yn
unigol yn dasg amhosibl. Felly gobeithiaf y derbyniwch y neges
argraffedig yma fel arwydd diffuant o'm diolchgarwch i,
Elinor a Geraint a'u teuluoedd, am eich cyfarchiadau o
gydymdeimlad â ni yn ein profedigaeth.

36.   Llythyr a gafodd Ifor a Joan Rees gan Aneirin yn cydnabod eu
cyfarchiad o gydymdeimlad ato adeg marwolaeth Mari yn 1971.

37

37.   Pentref Felindre

'Fe'm ganed i ym mhentre Felindre rhyw dair milltir o Gastell Newydd Emlyn ond pan oeddwn yn ddwy flwydd oed symudodd fy rhieni i fyw i Gorseinon ym Morgannwg. Ond eto y Felindre neu yn hytrach y filltir sgwâr o gwmpas capel Clos-y-graig yw fy nghartref ysbrydol.'

Crwydro Sir Gâr

38

38.   Capel Clos-y-graig

'Yno i'r Tŷ Capel yr awn i a'm brodyr i dreulio ein gwyliau haf, a phob gŵyl arall a ddeuai i'n rhan. Cyn gynted âg y medrem gerdded fe'n rhoddid ar y trên yng ngofal y gard yng ngorsaf Casllwchwr a ffwrdd â ni dros bont Casllwchwr, gan groesi'r ffin rhwng y ddwy sir, ac wrth wneud profi'r iasau y mae Gwenallt yn sôn amdanynt:

"Ni wyddom beth yw'r ias a gerdd drwy'n cnawd
Wrth groesi'r ffin mewn cerbyd neu mewn trên".'

Crwydro Sir Gâr

39.   John Thomas Ffynnondudur

'Cyrraedd Henllan wedi blino'n lân ond eto'n llawn cynnwrf melys.
Yno y byddai John Ifans Tŷ Newydd neu John Thomas
Ffynnondudur yn ein cyfarfod gyda'r trap a'r poni i'n cario dros y
ddwy filltir o daith – y daith hyfrytaf oll, gyda hen arogleuon cynefin
yn ein ffroenau, aroglau mwg y tanau coed a godai'n rubanau
esmwyth o'r simneuau.'

Crwydro Sir Gâr

40.   John Ifans Tŷ Newydd (yng nghanol y llun).

41.   Cathrin Jones, Tŷ Capel, Clos-y-graig.

'Gyda hi y bu fy nhad yn lletya hyd nes iddo briodi a daethom
ninnau'r plant i feddwl amdani fel un o'r teulu. Hen wraig radlon an-
llythrennog, ddi-ddiwylliant os credwch mai o lyfrau y daw'r peth
cyfrin hwnnw, oedd hi . . . Llawer gwaith y gwariodd Cathrin Jones ei
thipyn pensiwn bach bob dimai a byw ar fara a the am wythnos gron
er mwyn arlwyo bwrdd gweddus ger bron gweision yr Arglwydd.'

Crwydro Sir Gâr

42.   John Lôn

'Hen gymeriad garw gwreiddiol a duwiol, a gallaf glywed fy nhad yn
awr yn torri llwybr ei araith yn y seiat tua chyfeiriad Clos-y-graig
gyda'r ymadrodd "Un tro gweddiai John Lôn . . ." Un tro, aeth fy
nhad yn ei flaen, gweddiai John Lôn mewn gwylnos yng nghanol twr
o blant bach amddifaid, y tad wedi ei gymryd ymaith a hynny'n fuan
ar ôl marwolaeth y fam. "Wel", meddai John ar ei weddi "Wn i yn y
byd beth yw dy feddwl Di yn gwneud peth fel hyn. Mi gymrest ti'r
ganllaw i ffwrdd ers tipyn yn ôl ond nawr dyma Ti wedi mynd â'r
bont. Mi ofali Di wrth gwrs na cha nhw ddim bracso'r dŵr. Na'n wir
chaiff yr un o'r rhai hyn wlychu'u trâ'd. Rwyt Ti'n cadw llygad
manwl ar y short hyn".'

Crwydro Sir Gâr

42

43.   John y Gwas

John y Gwas (y Cynghorwr John Evans) yn y canol yn ei het fowlyr, gyda rhai o drigolion Drefach Felindre.

'. . . adroddai wrthyf benillion sy'n trysori atgof am yr hen ddadleuon hyn [rhwng yr Arminiaid a'r Calfiniaid]. Yr oedd gŵr o'r enw Thomas Jâms yn aelod ym Mhenrhiw. Crynhoi'r dreth oedd ei waith ac am hynny fe'i gelwid yn Twm Warden. Canai Armin o Fedyddiwr amdano fel hyn:

Cwpwl bach sy ym Mhenrhiw
Yn gwadu nad yw Crist yn Dduw
Onid yw'n drueni trist
Fod Twm y warden heb un Crist.

A dyma ateb Twm:

Nid oes sôn ym Meibl Crist
Am drochi dyn dros ben ei glust
Ni ddywedodd Crist eriôd
Am daflu dyn i Bwll y Rhod.'

Crwydro Sir Gâr

44.   Fferm Y Cryngae, Felindre.

'Cofiais mai yno y gwelais i dractor am y tro cyntaf erioed. Crwt bach ryw ddeg oed oeddwn i ar y pryd ond yn awr wrth ddringo i fyny at y ffermdy, gallaf weld clôs y fferm yn glir o flaen llygad fy meddwl – gweld y tŷ a'r tai allan a'r tractor – y cyntaf i ddod i'r ardal am wn i – yn chwyrnellu o gwmpas y clôs fel llew rhuadwy. Gofynnwn i mi fy hun, tybed ai cywir y darlun a stampiwyd ar ddalen y cof? A dyma gyrraedd clôs y fferm a'i gael yn union fel y cofiwn i ef. Ond nid atgof plentyn am dractor a'm dug i'r Cryngae y tro hwn, ond y wybodaeth a ddaeth i'm rhan yn ddiweddarach bod a wnelo'r lle âg un o feirdd mwyaf Cymru – Dafydd ap Gwilym. Y Cryngae oedd yr enw ar lys Llywelyn ap Gwilym, ewythr y bardd.'

Crwydro Sir Gâr

45. Ffermdy Pant-yr-Efel, Felindre.

'Ar y llethr uwchben nant Brân, saif ffermdy Pant-yr-Efel, lle y dywedir i Ruffydd Jones Llanddowror gael ei eni. Gadewais y car wrth yr afon a dringais yn ara' deg ar hyd lôn gert i glos y fferm. Methais â chael ateb yn y tŷ ac ni welais neb byw bedyddiol o gwmpas y lle. Felly ymdroi o gwmpas am ychydig, a thynnu darlun neu ddau, ac eistedd i lawr i fwynhau'r olygfa heulog o ben y bryn. Dyma olygfa oedd yn gynefin i Ruffydd Jones pan oedd yn llanc, "ardal sy'n edrych i lawr tua Henllan neu Landysul ar wlad o lenorion ac ysgolheigion a phobol hynod annibynnol eu meddwl" ys dywed R.T. Jenkins.'

Crwydro Sir Gâr

46. Sunnyside, Castell Newydd Emlyn.

Cartref y Parch. Evan Phillips a'i deulu a fu'n ysgol ramadeg i do ar ôl to o efrydwyr a ddeuai yma i astudio o dan hyfforddiant ei fab John Phillips.

'Mi gefais i brofi rhywbeth o rin aelwyd Sunny-side, a hynny yn Llundain o bob man, dan gronglwyd y Doctor Tom Phillips mab y "seraff bregethwr" . . . a gallaf yn bersonol dystio i ddylanwad yr aelwyd honno ar lawer o wŷr ieuainc alltud o Gymru a ddaeth i Lundain yng nghyfnod y dirwasgiad . . . Ni bu gwell academi ddiwinyddol yn unman na'r aelwyd honno yn Harrow, ac nid yw'n rhyfedd iddi godi un o arweinwyr blaenllaw Cyfundeb Methodistiaid Calfinaidd, y Parchedig Ieuan Phillips.'

Crwydro Sir Gâr

47. Castell Newydd Emlyn

'A oes pertach tref yn y Sir na Chastell Newydd Emlyn? Neu ai cysylltiad y dref ag atgofion fy mhlentyndod sy'n peri i mi gredu hynny? Yma y down ar ddiwrnod mart ers talwm yng nghwmni John Tŷ Newydd neu John Ffynnondudur, a chael fy ngadael i grwydro'r dre tra roeddynt hwy yn bargeinio uwchben yr anifeiliaid ar faes y mart. Un ffordd a gefais i o dreulio'r amser oedd mynd i lawr at y bont ar waelod y dref, ac wedi treulio ychydig amser yno yn gwylio'r pysgod yn yr afon, neu roi tro am y castell adfeiledig gerllaw, yn ôl â mi drwy'r dre ben-bwy-gilydd, ac wrth fyned, rhifo'r tafarnau niferus. Ond er cyfrif droeon ni fyddai'r cyfanswm fyth yr un, a hynny wrth gwrs oedd yn gwneud y gwaith yn ddifyr.'

Crwydro Sir Gâr

48

49

48. Capel Libanus, Gorseinon

Libanus, capel y Methodistiaid Calfinaidd yng Ngorseinon lle'r oedd y Parch. William Talfan Davies yn weinidog.
Darlun a beintiwyd gan Huw, mab Rhydwen Williams.

49. Y Parch. Lodwig Lewis (tad Saunders Lewis).

'Ym mlynyddoedd fy llencyndod byddwn yn mynd o gwmpas llawer iawn yng nghwmni Saunders Lewis i siarad yng nghyfarfodydd y Blaid. Roedd yn ddyn prydlon iawn. Galwai amdanaf yng Ngorseinon, yn brydlon am saith. Ni ddeuai i mewn i'r tŷ – rhy swil o lawer, er ei fod yn adnabod fy nhad.
Yn nhymor fy afiechyd aem yn aml – nhad a minnau i gartref y Parchedig Lodwig Lewis yn Abertawe er mwyn i Mr Lewis fynd dros fy ngherddi, a'u cywiro, a rhoi gwersi i mi. Yr oedd yn benllanw arnaf pan ddywedodd Saunders Lewis ei hun ei fod yn hoffi pennill o delyneg o'm heiddo.'

Ar Ymyl y Ddalen, Gorffennaf/Awst 1980

50

50.   Saunders Lewis.

'Fy mrawd Aneirin oedd y rheswm pennaf iddo ymweld â'n cartref. Roedd Aneirin druan ar ei gefn yn ystafell-wely'r ffrynt, pob ffenest i lawr hyd at yr hanner, un o'r meddyginiaethau poblogaidd y dyddiau hynny i ddod dros y clefyd marwol T.B. – y dicâu. Credaf mai hyn oedd y trobwynt yn hanes Aneirin. Dyma'r adeg yr aeth dros ei ben a'i glustiau i mewn i'r byd llenyddol. Ac ni fu dim yn fwy o symbyliad, yn bendifaddau nag ymweliad Saunders Lewis. Aeth ati i ddarllen ddydd ar ôl dydd gofiant John Jones, Talsarn, ac ugeiniau o lyfrau Cymraeg pwysig eraill. Dechreuodd farddoni, ysgrifennu llith hwnt ac yma, ac yn arbennig i'r *Darian,* un o bapurau wythnosol Cymraeg y De. Drwy gydol oes bron, Saunders Lewis oedd arwr llenyddol mawr Aneirin.'

Syr Alun Talfan Davies – *Barn,* Hydref 1985

51.   Y fferyllydd ifanc.

'Rai wythnosau yn ôl agorais fy Meibl ac agorodd yn yr "Apocrypha" ar bennod 30, sy'n ddarn â swyn anghyffredin i mi am resymau digon amlwg:
  "Oni wnaed y dwfr yn beraidd â phren, fel y gwybyddai dynion ei
   rinwedd ef?"
Aeth y sôn am wneud y dŵr yn beraidd â mi yn ôl i gyfnod fy mhrentisiaeth (bu raid i mi symud o'r fferyllty yng Ngorseinon oherwydd marwolaeth drist fy meistr cyntaf) pan dreuliais flwyddyn neu ddwy yn fferyllty J.T. Davies, yn Temple Street, Abertawe. Nid yw yno nawr, fe'i dinistriwyd yn y cyrchoedd awyr a ddinistriodd fy fferyllty i yn Heathfield Street.'

'Ar Ymyl y Ddalen', *Barn,* Mai 1979

51

52.   Label potel foddion
H.J. Owen

'Rwy'n cofio clywed am ewythr o
fferyllydd i mi, "Wncwl Harri",
yn codi fferyllty yn "Vere Street"
un o strydoedd yr Eldorado
newydd. Ond methu a wnaeth. Ni
ddatblygodd pethau fel y
disgwylid. Ac wrth sôn am
"Wncwl Harri", cofiaf mai gydag
ef, wedi iddo symud i fod yn
fferyllydd y "Guardians" yn
Charles Street Caerdydd y dysgais
i gyntaf enwau Cymraeg y ddinas
a'r fro. Cofiaf sefyll ar bont ar
gyrion y ddinas, ac yntau'n dweud
yn ei ffordd ddeddfol a gofalus,
"Hon yw pont Elái, nid Ely,
Aneirin". Ni soniai fyth am
"Queen Street a "St Mary Street"
ond "Heol y Frenhines" a "Heol
Fair". . . . Oni bai ei fod yn Dori
rhonc gallwn feddwl, petai byw
heddiw y byddai'n perthyn i
Gymdeithas yr Iaith Gymraeg.'

Bro Morgannwg, Cyf. 1

52

53. Llyfr rysáit H.J. Owen

'Yn ddiweddar cefais lyfr resait fy ewythr gan Gwyn Owen fy nghefnder a synnais weld fod llawer o'i gynnwys yn Gymraeg. . . . Does rhyfedd yn y byd i mi ddal ei frwdfrydedd a gosod "Fferyllydd" uwchben drws y fferyllty a agorais yn Abertawe yn 1937.'

Bro Morgannwg, Cyf. 1

53

Lime Cream & Glyc (nid hwn - mawr)

Rx Olew'r Olewydden ℥i
Creme D'Amandes ℥ ʒi ʒij
Sodae Biboras ʒiv
Sol Calcii Hydras ℥i
Ess Bergamot ʒij
" Limonis ʒij
Ol Caryoph gtt 10
" Neroli " 6
" Citronell " 14

M. Toddwch yr Olew a chymysger ychydig yn berffaith lyfn efo'r Creme D'Amande mewn mortar mawr, yna doder y gweddill or Olew yn raddol, dan gymysgu; Todder yr 'Halas' yn y Dwr Calch wrth bon tan ac ychwaneger yn raddol at yr uchod gan gymhwyso yr holl gymysged; yn olaf ychwaneger y perarogl a sigler y gostrel

Ew wneyd yn dewach doder ʒij yn rhagor o'r 'Creme'. Yn rhatach defnyddier Ol Nuc yn lle'r O. Olewydden

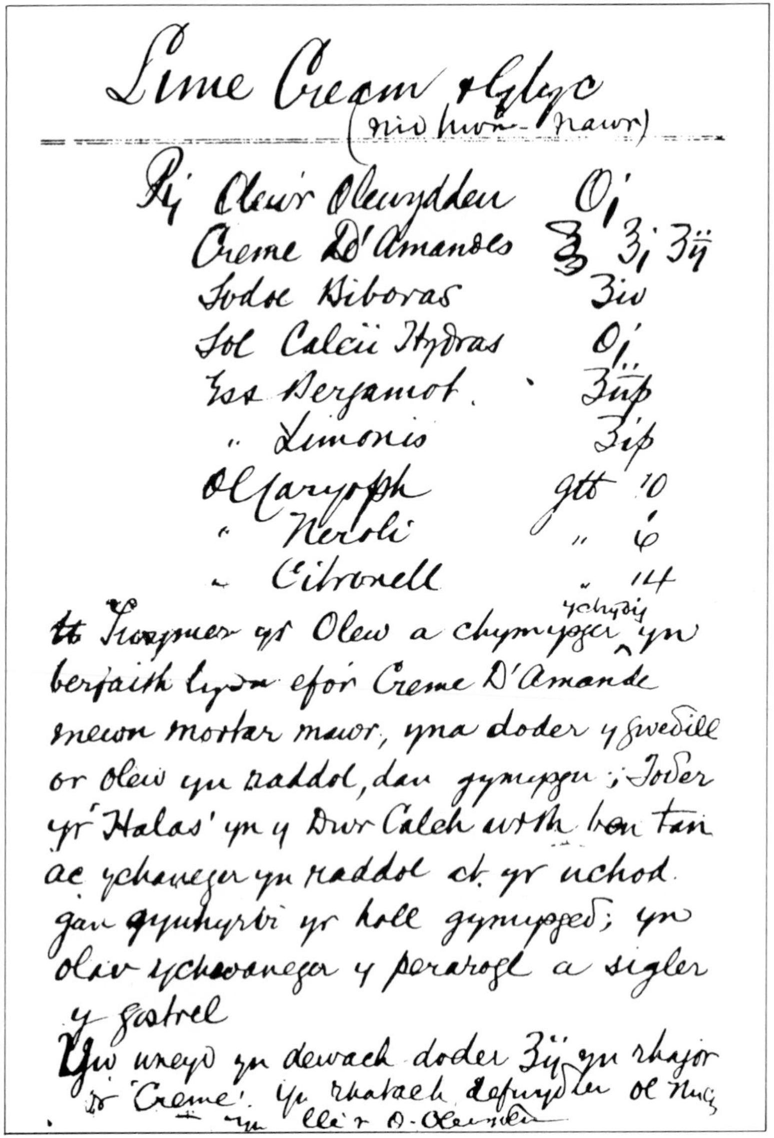

54

54.   Cassiobury Park, Watford.

'Y mae i Watford le cynnes yn fy nghalon oherwydd mai yma y sefydlwyd ein cartref cyntaf wedi priodi . . . ar gyffiniau gerddi'r dref, Cassiobury Park, a byddwn yn aml yn cerdded drwyddynt ar fy ffordd i'r fferyllty. Rhedai canél y Grand Union ar gyffiniau'r parc a'r adeg yma byddai coed castanwydd praff yn gwynnu'r dŵr â'u canhwyllau gwyn. Wrth edrych drwy fy llyfr nodiadau yn y cyfnod 1935/6 deuthum ar draws y darn bach yma, y'i cyhoeddaf yn awr am ei werth:

Rhagluniaeth

Gwelais gastanwydden îr
    Yn gŵyro dros y llyn;
A'i llu canhwyllau'n gwynnu'r dŵr
    Â'u fflamau gwyn.

O'u cylch fe ddawnsiai gwybed mân
    Â llon, diofal lam
Heb ddeall dim pa ddirgel law
    A oerai'r fflam.'

Ar Ymyl y Ddalen, Mehefin 1967

55

55. Cartref Aneirin a Mari yn Watford.

56. Aneirin gyda mam Mari yng ngardd ei gartref yn Swiss Avenue, Watford.

'Yma hefyd y gwelodd y cylchgrawn "Heddiw" olau dydd am y tro cyntaf. Rhyw ddiwrnod mi fydd yn rhaid i mi ysgrifennu hanes y fenter honno. Tybed sawl cylchgrawn misol annibynnol yn y ganrif hon a all honni hoedl o chwe mlynedd? Parhaodd o 1936 tan 1942. Petaech chi'n sôn am "heddiw" mewn cwmni y dwthwn hwn, y rhaglen deledu a ddeuai i'r meddwl ar unwaith.

56

Ychydig a ŵyr mai'r cylchgrawn bach a sefydlwyd yn 1936 a roes i'r rhaglen deledu ei theitl.'

Ar Ymyl y Ddalen, Mehefin 1967.

57

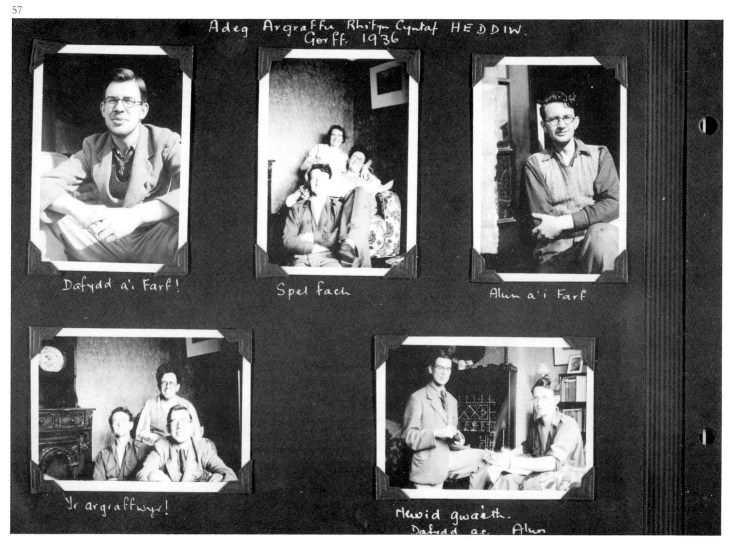

57.   Paratoi rhifyn cyntaf *Heddiw* yn Swiss Avenue, Watford. Aneirin, Mari, Alun a Dafydd Jenkins.

58.   Cartŵn Dic Huws *(Heddiw)*.

'Un o'r gwŷr a gyfarfyddais (yn Ysgol Haf y Blaid ym Mrynmawr) oedd Dic Huws yr artist. 'Roedd ganddo farf ddu, ddu a phâr o'r llygaid mwyaf treiddgar a du a welais erioed. Clogyn dros ei war a het ddu cantel lydan. Bohemiad yn Philistia!
Felly, a minnau nawr yn Llundain, neu o leiaf o fewn cyrraedd y ddinas, lle hefyd yr oedd Dic Huws, chwiliais amdano a'i gael mewn "mews" yn Tottenham Court Road, a gofyn am ddigriflun ar gyfer y cyhoeddiad bychan *Heddiw*.'

Ar Ymyl y Ddalen, Hydref 1979

59.   Y fferyllty yn Heathfield Street, Abertawe – y siop a ddinistriwyd yn llwyr adeg y bomio ar Abertawe yn 1941.

59

60

60.   Y fferyllydd ifanc yn paratoi potelaid o foddion yn ei siop.

61a/b   Hysbysebion yn *Heddiw* a detholion o lyfr rysáit Aneirin – a achubwyd o'r siop wedi'r bomio yn Abertawe yn 1941.

Treuliodd Aneirin flwyddyn neu ddwy yn fferyllty J.T. Davies yn Temple Street, Abertawe:

'Roedd siop T.J. Davies yn Temple Street, Abertawe, gyda'r harddaf a welais erioed. celfi mahogani, y rheiny gan gynnwys y poteli ar y silffoedd, yn disgleirio fel haul canol dydd. Y tu cefn i'r cownter yr oedd rhesi o ddrorau bychain, pob un â'i fwlyn gwydr celfydd. Os oedd celfyddyd yn y gwaith o gwbwl, efallai taw mewn gwneud pilsen gron oedd hynny. Yn y palas yn Temple Street yr oedd graddau o orffen y bilsen a hynny yn dibynnu ar radd y claf mewn cymdeithas. Os oedd e'n perthyn i'r "crachach" yna fe oreurid y bilsen ag aur pur. Os byddai'r claf yn yr ail ddrôr, megis, ni chai ei bilsen wedi ei goreuro, ond ei gorariannu ag arian pur.
Wrth gwrs, roedd 'na drydedd radd, y difreintiedig – ac fe gaent hwy y pils yn noeth, neu ag ychydig o farnais arnynt.'

Ar Ymyl y Ddalen, Mai 1979

61a

61b

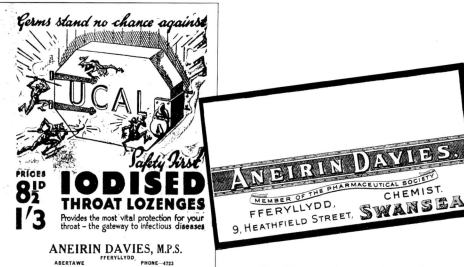
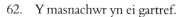
62.   Y masnachwr yn ei gartref.

62

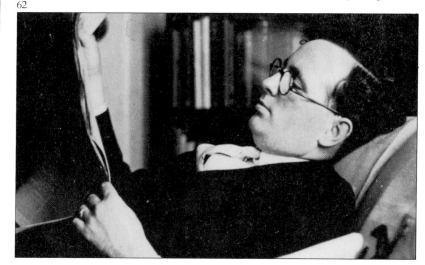

63. Y difrod mawr yn ymyl siop fferyllydd Aneirin wedi'r bomio yn Abertawe yn 1941. Wedi hynny y symudodd Aneirin i fyw yn Nhycroes, Sir Gaerfyrddin ac yn y man ymuno â staff y BBC fel cyhoeddwr rhaglenni.

64. Fairwater, Tycroes, Rhydaman lle'r aeth Aneirin a Mari a'r teulu i fyw am gyfnod wedi bomio'r siop a'r cartref yn Abertawe yn 1941.

65. R. Williams Parry

'Efallai y bydd rhai pobol yn synnu clywed i R. Williams Parry gyhoeddi mwy o ganeuon yn *Heddiw* yn 1937 nag a wnaeth yn *Y Llenor*. Un o'r pethau tristaf ynglŷn â bomio fy fferyllty yn Abertawe yn 1941 oedd i mi golli fy ngohebiaeth â'r bardd yng nghyfnod cynnar *Heddiw*. Yr oedd argraffu a chyhoeddi soned gan R.W.P. yn brofiad meddwol i olygydd ifanc ac nid heb ei bryderon hefyd. Derbyn llawysgrif a theimlo ar ben fy nigon. Ymhen ychydig ddyddiau teligram "Don't print. Letter following". Yna disgwyl am y llythyr addawedig – hwnnw'n cyrraedd. Un gair wedi ei newid yn y soned! Gyrru'r cyfnewid at yr argraffydd. Ymhen ychydig ddyddiau; newid atalnodi ac yn y blaen . . .'

Ar Ymyl y Ddalen, Mehefin 1967

66. 'Un arall o garedigion *Heddiw* yn y cyfnod hwn oedd Gwenallt. Ymddangosodd cerdd o'i waith yn rhifyn cyntaf y cylchgrawn, a chofiaf yn dda am agor yr amlen a chael cerdd ynddi, a'r gorfoledd wrth feddwl am gael cerdd gan Gwenallt ar y dudalen gyntaf! Am wn i nad oedd y gerdd yma yn gychwyn ar gyfnod newydd yn hanes Gwenallt fel bardd.'

Ar Ymyl y Ddalen, Mehefin 1967

67. 'Nid yw parhad *Heddiw* ynddo'i hunan o fawr bwys ond y mae pwysigrwydd mewn ceisio cadw'n fyw lenyddiaeth Gymraeg yn ystod blynyddoedd y rhyfel. Y mae'r nifer o lyfrau y gellir eu disgwyl o'r wasg yn fychan iawn ac felly cylchgrawn tebyg i *Heddiw* fydd unig blatfform y llenor Cymraeg . . . Y mae'r ateb yn nwylo'r darllenwyr, ac erfyniwn am eich cymorth a'ch ffyddlondeb yn ystod y dyddiau blin sydd o'n blaen.'

Heddiw, Awst 1940

66

67

HEDDIW

MEDI 1936

CYFROL I   RHIF 2
CHWECHEINIOG

68

PRIS : CHWECHEINIOG

HEDDIW

CYF. 7 RHIF 2   **CHWEFROR--MAI 1942**

GOLYGYDD : ANEIRIN AP TALFAN

CYNNWYS

GOLYGYDDOL : FAIR WATER, TŶ CROES, AMMANFORD.

Ni ellir danfon llawysgrifau yn eu hôl, nac addo atebion, onid amgaeir amlen stampiog.

ARGRAFFWYD A CHYHOEDDWYD GAN WASG GEE, DINBYCH.

Yno y dylid cyfeirio pob gohebiaeth ynglŷn â llawysgrifiadau, gwerthiant, etc.

68. 'Ni all pwyllgor redeg cylchgrawn. Rhaid wrth olygydd â thân yn ei fol a does neb o'r genhedlaeth ifanc â digon o asbri, ynni a gweledigaeth i gychwyn cylchgronau, boed fawr neu fân . . . Dy waith di gyfaill ifanc yw cychwyn un a hynny drwy chwys dy dalcen dy hun. Ddaw hi ddim unrhyw ffordd arall.'

Llafar, Gŵyl Ddewi 1955

69. *Y Gwrandawr*

Syniad Aneirin oedd cyhoeddi rhai o ddarnau gorau'r byd darlledu mewn atodiad i'r cylchgrawn *Barn*.

'Y mae'n bleser arbennig i mi gael croesawu *Y Gwrandawr*, dan olygiaeth Tom Richards, Cynrychiolydd Gorllewin Cymru o'r BBC. Pan oeddwn i'n dal y swydd honno golygais *Llafar*. Yn anffodus daeth y dydd pan nad oedd digon o Gymry darllengar yn barod i wario tri a chwech am lyfr can tudalen o sgyrsiau a barddoniaeth, a bu raid i Wasg Gomer roi'r gorau i'w gyhoeddi.'

Ar Ymyl y Ddalen, Mawrth 1964

70. 'Ni bydd dyn yn gorffen rhyfeddu wrth epigramau bachog, cynhwysfawr ambell wladwr o fardd:

  "Llwm lety, gwely gwaeledd
  I edwi'r byd ydyw'r bedd"

meddai hen glochydd Llanllyfni a gwyddom ar unwaith iddo grynhoi mewn cwmpas byr, brofiad dynoliaeth gyfan. Y mae rhywbeth o "anonimity" canu'r cyfnod clasurol ynddynt – y cyffredinoli hwnnw sy'n hanfod mynegiant cyfnod. A'r peth sy'n synnu dyn yw y ceir yr elfen yma yn y symlaf a'r mwyaf di-nôd o'r englynwyr – fel petai'r gynghanedd a'r mesur cynnil, a'r peth cyfrin hwnnw sydd ynglŷn â'r cyfrwng hwn, yn eu codi allan ohonynt eu hunain, yn eu cynorthwyo ac yn gosod camp ar eu gwaith. O golli'r gynghanedd fe gollir yr elfen werthfawr yma ym marddoniaeth Cymru.'

Englynion a Chywyddau, Rhagymadrodd

71

Cystuddiol yn fy 'stafell,
Yr wyf ers llawer dydd,
Heb nerth i fyned allan,
I gael mwynhau y gwŷdd.
Wrth glywed canu siriol,
Aderyn bychan byw.
Y cwestiwn ddaw i'm calon,
A'i gwir mae Da yw Duw.

Cyfeillion ddaw i'm stafell,
Yn llawn o hoen yr Ha'
A hiraeth ddaw i'm henaid
Am ddiane o'fy mhla.
A'i clywed hwy yn adrodd
Ei bod yn bleser byw
Rydd gwestiwn ar fy nhafon
A'i gwir mae Da yw Duw.

Clywed am fwynhad y saint
A phrofiad teulu'r ffydd
A'r pleser gant wrth wrandaw
Yr hen 'Efengyl Rydd'.
A sôn am Dduw yn Gariad
A Thad sydd wrth y llyw"
Ond gofyn wna fy nghalon
A'i gwir mae Da yw Duw

Aneirin

72

suburbia

1

Dyfal rygnu cras y peiriant gwair
rhwng dwylo meddal llafn o glarc;
a Llygaid y Dydd yn lluoedd celain
ar y llawr
yn llygadrythu i'r ffurfafen las:
y marw ymhlith y meirw;
gadewch i'r marw gladdu'r marw.

2

Gwraig a'i bysedd main a'u blaenau tân
yn cau am wddw' tyner rhosyn teg
a'i dagu.
Wedi'i ladd, ac iddo brofi'r siswrn dur,
ei osod mewn llestr:
Y marw'n aroglu beddau'r marw.
Gadewch i'r marw gladdu'r marw.

3

Y lloer yn codi rhwng simneiau coch
i sangu'n ŵyl hyd lechi llwyd y tonu serth:
ond blinodd ar lygadrythu swrth
Llygaid y Dydd. a chyrnu blin
y marw sy'n gwrthod atgyfodiad. . .
Gadewch i'r marw gladdu'r marw.

ANEIRIN AP TALFAN

71. Un o ddarnau barddonol cyntaf Aneirin yn ei ysgrifen ei hun, pan oedd yn gorfod gorffwys yn ei wely, yn dioddef o'r pla gwyn.

72. Enghraifft o ganu cynnar Aneirin yn y *vers libre* – a hynny yn rhifyn cyntaf y cylchgrawn *Heddiw* 1936.

73*a*

Y DDAU LAIS

W. H. REESE

AC

ANEIRIN AP TALFAN

GWASG GYMRAEG FOYLE
LLUNDAIN
1937

73*b*

GWASG HEDDIW.

40, Swiss Avenue,
Watford, Herts.

Annwyl Mr W H Reese,

Efallai na wyddoch ddim am y cylchgrawn newydd Heddiw a ddygwyd allan gan fy mrawd a'm cyfaill Dafydd Jenkins a minnau. Gyrraf gopi i chwi a hefyd apêl am eich cymorth. Gwn am eich dawn fel y bardd yn dda iawn a gwyliais pob ymdrech o'ch eiddo yn fanwl yng nghylchgronau'r Brython yn bennaf. Efallai y cofiwch fy mod i'n cadw cwmni i chwi yng nghystadleuaeth y Verse Libre yng Nghaernarfon! Beth bynnag fe welwch yn y rhifyn hwn o Heddiw gân gan Gwyndaf — bardd sydd a dyfodol iddo yn fy marn.

73*c*

Annwyl Gyfaill

Y mae Foyle wedi addo cyhoeddi ein [illegible] gyda'n gilydd yn awr. Beth am [illegible] a th[illegible] a gaf fi awgrymu 'Y Ddau Lais'? Dyna deitl un o'r caneuon sydd gen i. Gobeithio na theimlwch fod hyn yn golygu mantais arnoch, ond fe fydd y gân hon tua'i canol yn [illegible] hi a'r teitl. Ni allaf feddwl am well teitl. Hwyrach y meddyliwch chwi. Tybed a allech chwi lunio rhagair byr? Rhywbeth a linellau y bu [illegible] y buom yn son amdano yn ein llythyrau. Bod [illegible] wedi [illegible] a [illegible] eisoes wedi [illegible] ei ddyfnder a bod galw am [illegible] newydd i gyfateb â'r sefyllfa newydd. Ma oes angen un hir. Gobeithio y cewch y llyfr allan cyn yr Eisteddfod pryd y dylai fod yn barod da[illegible]!

Dowch a gân yn fuan a'r rhagair os gellwch

Cofion cynnes

Aneirin ap T

74

75

'Mae'n debyg mai yn Newcastle-on-Tyne y treuliodd ddyddiau ei alltudiaeth . . . profiad y bardd o Flaenau Ffestiniog oedd "siarad Saesneg drwy' holl amser, a byw gyda mi fy hun mewn cell fach o ryw ddau cant o eiriau Cymraeg. Rwyf yn dechreu meddwl yn Gymraeg unwaith eto, ac ar ôl meddwl yn Saesneg am 34 o flynyddoedd proses araf ydyw". Gyda'i lythyr anfonodd gerdd newydd i mi. Gyda'i ail lythyr anfonodd y bardd i mi gopi o gyfrol, neu bamffled yn hytrach, o gerddi a gyhoeddodd yn 1943 dan y teitl *Medi'r Corwynt.*'

Ar Ymyl y Ddalen, Chwefror 1974

'Un o brofiadau hyfryd yr Ŵyl [y Nadolig] i mi oedd derbyn, ymhlith y torreth o gardiau a llythyrau, un â'r marc Blaenau Ffestiniog arno. Credais mai llythyr ydoedd oddiwrth y gohebydd, a ysgrifennodd ataf dro yn ôl o'r dref honno, yn rhoi ychydig o hanes W.H. Reese. Ond na – llythyr oddiwrth y bardd ei hun ydoedd – a hynny wedi dros ddeng mlynedd o ddistawrwydd.'

Ar Ymyl y Ddalen, Chwefror 1974

73a/b/c   *Y Ddau Lais*

'Dyma sut y daeth y gyfrol i gael ei chyhoeddi. Yn Eisteddfod Genedlaethol Caernarfon 1935 roedd cystadleuaeth am gân llinell o "vers libre". Anfonais gân i'r gystadleuaeth a phan gyhoeddwyd dyfarniad y beirniad, E. Prosser Rhys, golygydd y *Faner,* caed mai Gwilym R. Jones oedd gyntaf, minnau'n ail a W.H. Reese yn drydydd. Cyhoeddodd Prosser Rhys fy nghân yn ei golofn "Led-led Cymru". Y peth nesaf a ddigwyddodd oedd i nghyfaill William Griffiths, a oedd bryd hynny'n oruchwyliwr Adran Gymraeg Foyle's yn Llundain, ofyn i mi gasglu ngherddi ynghŷd i'w cyhoeddi ganddo. Dywedais innau nad oedd gennyf ddigon o gerddi yr hoffwn weld eu cyhoeddi, ac yn y diwedd gofynnodd i mi wahodd W.H. Reese i fod yn gyd-awdur â mi. Ac felly y bu. Ond trwy lythyru y dygwyd y bwriad i ben ac ni chefais y fraint o gyfarfod W.H. Reese o'r dydd hwnnw hyd heddiw.'

Ar Ymyl y Ddalen, Nadolig 1972

74.   R.G. Berry

'Ni chefais i'r fraint o gyfarfod R.G. Berry ond gosododd ef fraint arnaf fi trwy barodïo un o'm cerddi o *Y Ddau Lais* yn *Y Llenor.* Mi wn mai fy adwaith i pan ymddangosodd y parodi yn *Y Llenor,* oedd teimlad o falchder fod un o barodïwyr mwyaf dawnus a chrefftus y ganrif wedi tybio bod y gerdd yn werth ei pharodïo o gwbwl. Mi chwerddais yn iach at glyfrwch y parodi, a'r modd yr oedd wedi dal fy llais, megis. Yr unig bethau a barodd siom i mi oedd iddo fethu â gweld nad cerdd yn pardduo enw da ydoedd ond cerdd o ddifrif yn achub cam y Duwdod (Duw faddeuo i mi). Mae 'na watwar ynddi ond nid yn erbyn Duw, ond yn erbyn y blaenor ar ei liniau yn dysgu i'r Duwdod "economeg y cyfanfyd crwn.'

Ar Ymyl y Ddalen, Ebrill 1979

75.   *Marchnad y Corachod.* Trosiad i'r Gymraeg gan Aneirin.

76

77

ANEIRIN
TALFAN
DAVIES

Diannerch Erchwyn

a Cherddi Eraill

76.   Castanwydden Braf

'Rhyw bum mlynedd yn ôl, wedi dyfod allan o'r ysbyty yn Llundain, a minnau'n byw gyda fy merch a'm mab yng nghyfraith, dygwyd fi am dro i gefn gwlad Essex. Yno ar faes eang gwelais goeden dalgryf, unig. Byth oddi ar hynny mae'r olygfa yn dal yn fyw yn y cof. Ychydig wythnosau'n ôl syrthiodd y geiriau hyn ar bapur ar lun canig fechan:

Gwelais goeden unig, braff ar erwau estron
a daw'r olygfa i'm llethu o dro i dro.
Roedd hi'n llawn dail yn chwerthin
Wrth herio'r gwynt, fel y gwnaeth
flwyddyn ar ôl blwyddyn ers cyn co.

Heddiw mae'n weddw, heb ddim i guddio'i noethni.

Cyn hir fe'm dinoethir innau i sefyll gerbron barn y gwynt.
A fydd trugaredd ac atgyfodiad?
Daw'r hen gwestiynau yn boenus daer
â dychryn yn eu hedrychiad.

Ond daw, fe ddaw y gwanwyn claer.'

Ar Ymyl y Ddalen, Chwefror 1979

77.   '. . . [mae] dau reswm dros i lenor neu fardd o Gymro barhau i sgrifennu yn yr iaith Gymraeg. Nid er mwyn yr iaith ei hun ond am nad oes dewis ganddo. Ac nid o ystyfnigrwydd hunanol chwaith, ond am ei fod trwy ddefnyddio'r iaith yn cadw nid yn unig i Gymru, ond i'r byd, beth o'r "glendid a fu" ac yn bwrw ei hatling i drysorfa dynoliaeth gyfan.'

Astudio Byd

78

78.   'Wrth wrando rhai pobol ceir yr argraff ein bod ni gynhyrchwyr
y Gorfforaeth Ddarlledu yn ysgrifennu (pan wnawn ni hynny – a
digwydd hynny yn llawer rhy aml oherwydd prinder adnoddau) a
rhyw sensor Seisnig mileinig o swyddfa'r BBC yn Llundain yn edrych
dros ein hysgwyddau yn gofalu ein bod yn sgrifennu i ryw batrwm
arbennig tybiedig, a'i unig amcan i wasgu pob syniad am
genedligrwydd Cymreig o'n hysgrifennu. Ni fu erioed y fath barodi o
ffeithiau. Y mae'n rhydd i'r llenor ddewis y testun a fynno. Y mae'r
byd a'r betws yn agored iddo.'

Eliot, Pwshcin, Poe, Rhagymadrodd

79

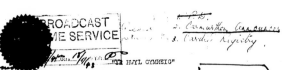

BROADCAST
ME SERVICE

"YR HWYL CYMREIG"

Recording, 18th November, 1943. 3.15-4.0 p.m. Rehearsal: 1.30 p.m. gan Aneirin Talfan Davies ac Wythawd Gorllewin Cymru dan arweiniad Tom Pickering Broadcast: 28th November, 1943, 5.5-5.20 p.m. (Carmarthen Studio)

ANNOUNCER: Yr Hwyl Gymreig.
RECORD: Opening cue: "A maddau... Fade: ..yn Nuw.

Wel dyna i chi enghraifft o'r hwyl Gymroig, a'r prynhawn yma 'rwy' am dreio dweud gair am ei nodweddion ac am yr awgrymiadau a wnaed ynglŷn â'i tharddle. 'Nawr beth yw'r hwyl yma? Y mae'r Dr. Owen Thomas yn ei gofiant i John Jones, Talsarn, yn disgrifio hwyl y pregethwr mawr hwnnw fel yma: "Pan gyfodai i'w hwyliau uchaf, fe fyddai ei lais yn cymeryd rhyw dôn gyffelyb i'r ... a elwir recitativo - math o draeth-gân - rhywbeth rhwng siarad a chanu; ac eto nid siarad cyffredin ydoedd; oblegid ... y gallesid dilyn ...odyn a phob amrywiad ar y llais, â'r un sŵn yn hollol gydag ... cordd..." Wel dyna ymgais lew i ddiffinio'r hwyl. Ond sylwoh fod y Dr. yn cymeryd y peth yn hollol ganiataol. Nid yw'n awgrymu mai peth newydd ydyw. O ble daeth yr hwyl, felly? Nid wyf am atob y cwestiwn, dim ond cynnig awgrymiadau ... a gadael i chi farnu. Cofiaf glywed y Dr. T.Gwyn Jones yn sôn amdano'n mynd ar hyd priffordd yn Tunis, ac yn sydyn yn clywed llef y mozzuin o'r tŵr, ... "Ar unwaith," moddai, "noth fy moddwl yn ôl i Gymru, a chofiais am hwyl yr hon brogcthwyr." Wel, dyma i chi record o'r Mozzuin:

RECORD. Mozzuin. 1290 D. (B.B.C.)

Wel, 'nawr to, both yw'ch barn chi? Mae'r progethwr Cymroig yn fwy soniarus ofallai, ond eto!.Gwrandewch ar hvn.

RECORD: Ap Vychan. Cue: "Gollyng fi moddai'r angol... ond cue: ..oni'm bondithi,yh."

Mae'yna rywboth digon dwyreiniol yn y tuchan bach yna ar y diwodd onid oes? Ond y mae un poth sy'n cyffrodin i'r Arab a'r Cymro, sof mai gwaith y ddau yw rhoi rhithmau siarad ar gân. Pam? 'nawr os 'rych chi am godi'ch llais, os 'rych chi am woiddi, mae'n mynd i osod straen ar oich gwddf, ond os trowch chi i ganu, 'rych chi'n osmwythau'r baich, ... chan ... rgothwyr yn gorfod dofnyddio...

B.B.C.
PASSED FOR SECURITY-1   PASSED FOR POLICY
DATE ..11.43   DATE 13.11.43

80

79.   Tudalen o sgript radio a ddarlledwyd o stiwdio dros dro y BBC yn Queen Street, Caerfyrddin. A hithau'n adeg rhyfel, diddorol yw sylwi ar y stamp BBC 'Passed for Security'.

80.   Stiwdio dros dro a fu gan y BBC yn yr Uplands, Abertawe wedi'r Ail Ryfel Byd. Yn ystod blynyddoedd olaf y rhyfel hwnnw ac am ychydig wedyn bu stiwdio BBC yng Nghaerfyrddin, yn Queen Street – ac Aneirin a Tom Pickering yn gofalu amdani.

81. Tom Pickering,
cynrychiolydd y BBC yng
Ngorllewin Cymru yn Abertawe
ac wedyn pan oedd stiwdio dros
dro yn Queen Street, Caerfyrddin,
yn ystod yr Ail Ryfel Byd.
Cynhyrchydd rhaglenni cerddorol
hefyd ac arweinydd Wythawd
Cymreig y BBC ar gyfer
Gwasanaeth y Bore bob wythnos.

82. Canolfan y BBC yn
Abertawe a ailadeiladwyd wedi
bomio 1941, a'i hailagor yn Ebrill
1952.

83. Yn gynrychiolydd Gorllewin
Cymru o'r BBC yn Abertawe –
gyda Mrs Heulwen Thomas ei
ysgrifenyddes.

'Gellir honni gyda llawer iawn o
wirionedd mai'r rhaglen nodwedd
yw'r unig ffurf greadigol newydd a
ddatblygwyd gan y radio. Y mae'n
ffurf sydd wedi datblygu trwy
gymhathu dwy elfen, sef sgwrs a
drama radio. Synthesis o'r ddwy
elfen yma yw'r rhaglen nodwedd
mewn gwirionedd. Ei nod yw
dysgu. Ond dysgu cofier, trwy
diddori. Os yw'r rhaglen yn
anniddorol, yna fe fethir yn yr
amcan a'r bwriad sylfaenol.
Y mae cymaint o angen
gweledigaeth a dychymyg y bardd
wrth lunio rhaglen nodwedd ag
wrth lunio awdl neu bryddest. A

hyd nes y cymer ein hawduron
creadigol at y cyfrwng newydd
hwn, ofer fydd disgwyl diwygiad
trwy gyfrwng y radio.'

Myfi sy'n Magu'r Baban, Rhagair

84

85

84. 'Munudau Gyda'r Beirdd'! Aneirin gyda'r Prifardd Rhydwen Williams a'r Archdderwydd Crwys.

'Cychwynnwyd comisiynu cerddi hirion, "pryddestau radio" ym 1951 . . .
Ymhlith y pryddestau hyn mae pryddest ingol-gofiadwy Kitchener Davies, "Sŵn y Gwynt sy'n Chwythu". Cyfansoddodd hon yn oriau mân y bore rhwng dwy operesion ddifrifol. Cafodd fyw i'w gwrando ar ei wely angau. Un o'r profiadau nad anghofiaf mohono fyth, oedd cynhyrchu'r bryddest hon, a'r darllenwyr a minnau gyda hwy yn eu dagrau.'

Darlledu a'r Genedl,
Darlith Flynyddol BBC Cymru gan Aneirin, 1971

85. Yr adeg pan oedd yn Gynhyrchydd Sgyrsiau. Darllediad cynnar o stiwdio Abertawe.
O'r chwith i'r dde: Y Parch. G.O. Williams, Dr Saunders Lewis, Yr Athro Brinley Thomas, Aneirin.

86. Aneirin gyda Norah Isaac, Elinor Davies a Llewela Evans adeg dadorchuddio cofeb i Hen Ŵr Pencader yn 1950.

86

87

87. 'Cofier y gall rhaglen arbennig neu ddrama radio fod yn llenyddiaeth aruchel. Nid oes angen mwy nag enwi "Buchedd Garmon" (rhaglen arbennig) ac "Amlyn ac Amig" (drama radio). Tybed a yw ein llenorion wedi sylweddoli dylanwad y radio? Cwynir yn aml am ddylanwad adfydus y radio, ond yng Nghymru o leiaf y mae llawer o natur yr hyn a ddarlledir yn dibynnu ar bobl Cymru eu hunain gan fod y Gorfforaeth yn nwylo'r amaturiaid bron yn gyfangwbwl.'

Eliot, Pwshcin, Poe, Rhagair

88a

88b

88a   Dylan Thomas yn Stiwdio'r BBC.

'His voice, remarkable in variety and range, was at its most impressive when the opportunity arose to display its still more remarkable resonance.
The occasion of this recording was, to me, most memorable. Thomas sat before the microphone in the Swansea studio, a forgotten cigarette stub in his fingers, his shoulders thrust back, his chest bulging out over his oversized jacket and displaying a vast expanse of rumpled shirt, while, in contrast to this almost comic picture, there came from his mouth like thunder made articulate

   The masses from the sea under
   The masses of the infant bearing sea
   Erupt, fountain, and enter to utter for ever
   Glory, glory, glory
   The sundering ultimate kingdom of Genesis' thunder.

Quite Early One Morning, Rhagair

88b   Siec a gafodd Aneirin gan Dylan – siec nad oedd gan Dylan ar y pryd yr un ddimai goch ar ei chyfer yn y banc!

89

90

89.   Aneirin, Mari, Hywel Davies a'i wraig Lorraine yn cael hwyl wrth ddiddanu cyd-aelodau staff y BBC mewn parti Nadolig.

90.   Cinio Dathlu 'Teulu Tŷ Coch' – y gyfres opera sebon gyntaf yn y Gymraeg. Darlledid y rhaglenni o stiwdio Abertawe ddechrau'r pumdegau.

91.   Dr a Mrs Alun Oldfield Davies, Mari ac Owen mewn garddwest yn Baynton House, Llandaf, lle'r oedd pencadlys teledu'r BBC yn y dyddiau cynnar – cyn adeiladu ar yr union safle hwn ganolfan fawr newydd radio a theledu'r BBC yn y chwedegau.

92.   Aneirin, Mari a Dale Owen, pensaer yr adeilad adeg agor canolfan newydd y BBC yn Llandaf, gan y Dywysoges Margaret ar Ddydd Gŵyl Ddewi 1967.

91

92

93

93. Canolfan newydd y BBC yn Llandaf adeg yr agoriad yn 1967.

94a/b Dydd o lawen chwedl yn y ganolfan newydd yn 1967. Mari ac Aneirin yng nghwmni Dr a Mrs Oldfield Davies, Mr a Mrs D.J. Thomas, Mr a Mrs Elwyn Timothy a Mr Owen Thomas.

95. Grŵp adeg darlledu Darlith Flynyddol BBC Cymru 1965 gan Harman Grisewood ar 'David Jones, Artist and Writer'. O'r chwith i'r dde: Douglas Cleverdon, Harman Grisewood, A.B. Oldfield Davies, Saunders Lewis, David Jones, ac Aneirin.

'Nid wyf yn amau didwylledd y rhai sy'n dadlau dros sianelau *"cwbl"* Gymraeg. Ond rwy am rybuddio y gallwn ni, yn ein brys am feddygyniaeth sydyn i'r problemau sy'n ein blino, greu rhwydweithiau a all setlo ein problemau dros dro, ond a fydd yn y pen draw yn gwarantu difodiant yr iaith. Ni'm dawr os gelwir fi'n wangalon. Rwy'n sicr o un peth; byddai creu rhwydweithiau o'r fath yn waredigaeth i'm holynydd, ac i'r Rheolwr. Fe wthid y Gymraeg dan y cownter fel gyda ffurflenni'r Swyddfa Bost . . .
O'r gore, rhowch y Gymraeg dan y cownter, a beth fydd y canlyniadau? Fe geir "Welsh Department" yn BBC Cymru, fe geir staff ar wahan, ail-raddol gyda gweinyddiad ar wahan, ac yn y diwedd proffwydaf y bydd llai o wylio ac o wrando ar y Gymraeg nag a fu erioed o'r blaen.'

Darlledu a'r Genedl,
Darlith Flynyddol BBC Cymru gan Aneirin, 1972

94a

94b

95

96

97

98

96.   Cyngor Darlledu'r BBC yn ystod yr adeg pan oedd Mrs Rachel Jones yn gadeirydd arno.

97.   Aneirin a'r Dr Alun Oldfield Davies yn cwrdd y tu allan i ganolfan newydd y BBC yn Llandaf, â chynrychiolwyr rhai o wythnosolion Cymru. Ymhlith aelodau staff y BBC y mae hefyd Tom Richards, Alan Protheroe, Alun Williams, Cyril Hughes, Hywel Gealy Rees, Elwyn Timothy a Rowland Lucas.

98.   Gyda'r Athro Glanmor Williams yn y cyfnod pan oedd yntau'n gadeirydd Cyngor y BBC yng Nghymru.

99. Yn sgwrsio â'r Gwir Anrhydeddus James Griffiths yn ei gyfres deledu boblogaidd 'Dylanwadau'.

100. Yn sgwrsio ag Osian Ellis yn y theatr Georgaidd yn Richmond, Swydd Efrog.

101. Hywel Davies

'Yr oedd yn ddigon o fardd i
freuddwydio breuddwydion, ac yn
ddigon o ŵr busnes i gadw'i draed yn
gadarn ar y ddaear. Y cyfuniad hwn – y
bardd, y crefftwr geiriau, a'r galon
gynnes ar y naill law, a'r gweinyddwr
craff a'r "negotiator" di-ail ar y llall; hyn
a'i gwnaeth yn ddewis delfrydol fel
Pennaeth yn y cyfwng hwn yn
natblygiad teledu yn ein plith.'

Astudio Byd

102.   Aeth Lorraine, gweddw Hywel Davies, â'i lwch i'w wasgar ar
ddyfroedd ei hoff Dywi, a thaflodd dusw o flodau i'w ganlyn; hyn o
esboniad ar y llinellau a ganlyn:

Piau'r llwch ar y lli
Dyfroedd tirion Tywi?
Llwch Hywel hoff, och fi.

Piau'r mudan lwch ar li
Yr afon chwerwaf i'w chroesi?
Pencampwr pob ymadroddi.

Mae'r llais mudan esmwythliw
Ddi-gymar gyfarwydd gwiw?
Heddiw'n fud, oeddet ddoe'n fyw.

Piau'r blodau ar gerrynt
Dy Dywi dawel ddi-helynt?
Un a'th gâr, a'th garodd gynt.

Astudio Byd

104

103. 'Voice of the People' – Diana Morgan (actores radio), Aneirin, G.V. Wynne Jones, Wyn Griffith a Trevor Evans.

104. Gyda'r Dr Sam Jones yn un o ddawnsfeydd blynyddol y BBC.

'Nid dynwaredwr oedd Sam, ond gwyddai cystal â neb na fedr neb greu dim o werth heb daro'i olygon dros ei ysgwydd at y gorffennol. Pe dewisai ddynwared roedd digon yn yr awyr o'i gwmpas i fod yn batrymau iddo. Ond llwyddodd ef i impio'r newydd ar hen foncyff y traddodiad Cymraeg, a chawsom y "Noson Lawen". "Impresario" yng ngwir ystyr y gair oedd Sam. Medrai ffroeni dawn mewn dyn, neu ddynes, a medrai gasglu cwmni o ddoniau o'i gwmpas a'u hysbrydoli i gyflawni campau y tu hwnt i'w cyraeddiadau tybiedig.'

Ar Ymyl y Ddalen, Hydref 1974

105. Un o'r cyngherddau Gŵyl Ddewi blynyddol a ddarlledid o'r Albert Hall yn Llundain, ac a gynhyrchid bob amser gan Aneirin.

105

106

106.   Aneirin yng nghwmni William Griffiths, Adran Gymraeg Foyle's.

'Yn Llundain y dechreuais i lenydda o ddifrif, ond yn ddiymgeledd o ran "meistr" i'm cyfarwyddo. Gan na fum erioed mewn prifysgol, yr oedd pethau yn fwy anodd i ddyn. Ond o ailfeddwl mi gefais "noddwr" – gŵr a gredai ynof ac na fynnai glywed gair amharchus yn fy erbyn. Rwy'n cyfeirio at y diweddar William Griffiths a oedd, pan gyfarfum âg ef gyntaf yn bennaeth Adran Gymraeg Foyle's, y llyfrwerthwyr yn Charring Cross Road. Dangosodd ei ffydd ynof wrth gyhoeddi pamffledyn bychan *Dyddiau'r Ceiliog Rhedyn* sy'n sôn am y bomio yn Abertawe, a rhoi'r gwaith o olygu *Gwŷr Llên* yn fy nwylo. Yna'r llyfr *Yr Alltud*, rhagarweiniad i weithiau James Joyce.

Hefyd cyhoeddodd *Y Ddau Lais* y creodd y datganiad "All art is propaganda", a ddyfynais o weithiau Eric Gill, yn fy rhan i o'r Rhagymadrodd, y fath dwrw nes dihuno R. Williams Parry o drwmgwsg!'

Ar Ymyl y Ddalen, Hydref 1979

107

EPLES

GWENALLT

GWASG ABERYSTWYTH

107.   'Barddoniaeth arwyddluniol yw llawer o eiddo Gwenallt. Un anhawster gyda barddoniaeth fodern arwyddluniol yw bod llawer ohoni yn defnyddio arwyddluniau preifat nad oes modd i neb, heb wybodaeth breifat y bardd, eu deall. Y mae'r "lluniau" yn amwys a'r "arwydd" o'r herwydd yn amwysach fyth. Ond nid felly Gwenallt.'

Sylwadau

108

109

108. *Ynys yr Hud a Chaneuon Eraill*, W.J. Gruffydd

'Clwy yw rhamantaeth sy'n gosod dyn ar drugaredd y teimlad ac y mae'r afiechyd yma'n treiddio drwy holl weithgarwch barddonol dechrau'r ganrif hon yng Nghymru. Yr oedd y rhamantwyr hyn, yn eu hadwaith ffyrnig yn erbyn piwritaniaeth Ymneilltuaeth eu cyfnod wedi gorseddu'r teimlad. Naturiol felly fod serch yn chwarae rhan bwysig yn eu barddoniaeth. Nid cariad ond serch. Mewn cariad â chariad yr oedd y rhamantwyr hyn; ac yn y "cariad" hwn, neu serch yn hytrach, yr oedd hadau marwolaeth. Yr oedd eu her yn erbyn Ymneilltuaeth eu cyfnod yn cyrraedd hyd at sylfeini'r grefydd Gristnogol. Derbyniasant un o heresïau'r Oesoedd Canol yn sylfaen i'w "hathrawiaeth" adfydus.'

Astudio Byd

109. J. Gwilym Jones

'Y mae ganddo [J. Gwilym Jones] feddwl gwyddonol dosbarthus. Y mae wedi eistedd wrth draed Freud a'r meddylegwyr. Dadansoddi ac yna gwneud synthesis yw ei fethod llenyddol, ac y mae hynny'n esboniad, i raddau, ar y dieithrwch a deimlir yn ei storïau. Ei greadigaethau ef ei hun ydynt. Y mae ganddo ddirmyg at "ffeithiau" – a hwyrach mai dyna wendid pennaf llenorion Cymru, gormod o barch at ffeithiau. O'r braidd na allwn synhwyro bod aml i nofelydd a storïwr o Gymro yn ysu am gael rhoi nodiadau ar waelod y ddalen i "brofi" mor agos yw ei stori at y ffeithiau – dylanwad gor-academigrwydd ein haddysg lenyddol, mae'n debyg. Ond nid felly Mr Gwilym Jones.'

Sylwadau

110. *Peiriannau a Cherddi Eraill*, J.M. Edwards

'Y mae un peth arall sydd yn torri ar draws datblygiad organig y gerdd fel cyfanwaith, a hynny yw gosod y gerdd sydd yn ganolbwynt y bryddest yng ngeiriau'r peiriant. I mi byddai'n rymusach yng ngeiriau'r peiriannau dynol, a grewyd gan y peiriant dur. Hynny yw y proleteriat di-eiddo a di-wreiddiau a grewyd gan y ddiwydiannaeth fodern. Y mae'r bennod hon yn colli mewn "directness" ac yn tueddu i amleiriogrwydd rhethregol – "mass production".'

Sylwadau

110

J. M. EDWARDS

PEIRIANNAU

a Cherddi Eraill

111. *Y Deyrnas Goll,* Iorwerth Peate

'Fel bardd "anghydffurfiaeth broffwydol" y meddyliai Iorwerth Peate amdano'i hun, ac yn ei apologia i'w gyfrol gyntaf gwêl y bardd fel arweinydd cymdeithasol "yn arwain am mai ef yn unig a fedr seilio ei wybodaeth ar sicrwydd di-ysgog y byd tragwyddol". Dyna ddweud mawr. Y mae'n werth sylwi, mi gredaf, fod y gred yma mewn barddoniaeth fel iechydwriaeth i glefydau cymdeithas yn codi'i phen pan fo crefydd yn colli'i gafael ar deyrngarwch yr "intelligensia". Clwy go fodern ydyw, ac fe'i gwelwn nid yn unig mewn gŵr sydd yn ymwybodol glwm wrth y traddodiad anghydffurfiol, fel Iorwerth Peate, ond hefyd mewn gwŷr fel I.A. Richards, a gellir olrhain y grêd yn ôl trwy Middleton Murray hyd at foderniaeth y ganrif o'r blaen a gynrychiolir gan feirniad a bardd fel Coleridge.'

Sylwadau

111

112

112. David Jones

'Un o'r pethau sy'n cyfrannu at anhawster ei waith, fel eiddo Joyce yntau, yw ei ymgais i gynnwys "y cwbwl mewn lle bychan" fel y dywedodd wrthyf mewn llythyr unwaith. Oherwydd hyn defnyddir geiriau, nid fel rhyw bethau mawr, ond fel pethau sy'n cynnwys ynddynt holl ynni'r Gair, ac o'u cyfosod rhyddheir yr egni hwnnw. Y cyfosod hwn yw'r "gwneud" sy'n troi'r geiriau yn ddarn o gelfyddyd fyw.'

Ar Ymyl y Ddalen, Awst 1967

'Mae gweithiau David Jones bob amser yn cychwyn gyda'r diriaethol. Pan oedd yn byw yn Horthwick Lodge, Harrow-on-the-Hill, a minnau'n ymweld âg ef, cofiaf ei fod yn gweithio o hyd ac o hyd ar ddysgl flodau ar y bwrdd yn yr ystafell. Rhyw gwpan o ddysgl ydoedd ond rhywfodd neu gilydd, yn y darluniau a geir ohoni rych chi'n ymwybodol fod y ddysgl wedi ei thrawsnewid yn garegl y Sagrafen Santaidd a rhyw wawr o santeiddrwydd o'i chwmpas megis. Digwydd hyn dro ar ôl tro yn ei weithiau.'

Ar Ymyl y Ddalen, Medi 1973

113

113. William Barnes

'Rhywbryd yn Haf 1944 y clywais i gyntaf am William Barnes. Yr oeddwn yn byw yn Sir Gaerfyrddin ar y pryd. Un diwrnod daeth Geoffrey Grigson i lawr ar daith dros y BBC ac aeth yntau a minnau i lawr i waelod Sir Benfro gyda'n gilydd. Wrth ddychwelyd galwodd gyda ni yn Nhycroes, lle'r oeddwn i'n byw. Wrth edrych dros fy llyfrau, canfu gyfrol fach yn dwyn enw Edward Richard, ac ebr ef: "Edward Richard! Is that the Ystrad Meurig man"?
"Yes", ebe finnau, "do you know anything about him"?
"No, except that I have a little translation of a poem of his . . ."
"Your translation"?
"Oh, no – it's by William Barnes".
A dyna'r tro cyntaf i mi glywed ei enw, hyd y gwyddwn i, er bod yn rhaid fy mod wedi gweld ei enw o'r blaen, gan i mi ddarllen nofel Thomas Hardy "Far from the Madding Crowd", a bod enw William Barnes i'w gael fel nodyn ar waelod y ddalen yn y nofel honno.'

Sylwadau

'Yn 1816 fe ddaeth am dro i Sir Fynwy, i ardal Abergavenny, ac yna wrth gerdded y fro, clywodd y Gymraeg yn cael ei llefaru yn ei phurdeb ebr ef. Aeth yn ôl i Loegr ac aeth ati i ddysgu'r Gymraeg, nid rywsut, rywsut, ond yn drwyadl, oherwydd roedd Barnes yn ysgolhaig o reddf.'

'Cyhoeddodd lyfr bychan yn dwyn y teitl "Notes on Ancient Britain" sy'n werth ei ddarllen hyd yn oed heddiw. Yn y gweithiau hyn, wrth ddyfynnu barddoniaeth Gymraeg, mae'n ofalus i roddi cyfieithiad o'i waith ei hun. Un o'm hoff gyfieithiadau i yw ei gyfieithiad o "Stafell Cynddylan ys tywyll heno":
"Cynddylan's Hall is all in gloom tonight
  No fire, no lighted room
  Amid the stillness of the tomb".

Cynfas, rhaglen deledu BBC

114

Aneirin Talfan Davies

114.   James Joyce

'Fel Gwyddel yr oedd dau beth yn galw am ei deyrngarwch – crefydd a gwleidyddiaeth. Gwrthododd yntau dderbyn iau y naill na'r llall ohonynt, er gwybod ohono y byddai ei ddyfarniad yn dwyn arno wawd ei gyfeillion ac alltudiaeth o wlad ei enedigaeth. Ond yr oedd ei ddidwylledd yn hawlio hynny. Yr oedd arno ofn gwrogaeth rannol.'

Yr Alltud

'Wrth sylwi ar hanes llenorion gwledydd bychain Ewrop cawn i'r rhan fwyaf ohonynt dreulio llawer o'u hamser yn alltudion o'u gwlad. Yn wir gorfodwyd hwynt yn aml i ffoi, ond yn amlach aethant o'u gwlad am y teimlent fod byw mor agos at eu cenedl yn magu clawstroffobia anoddefadwy. Gwelodd Joyce hyn yn gynharach efallai na'r un o'i gydlenorion yn Iwerddon.'

Yr Alltud

115.   *Yr Alltud*

'Cefais fisoedd o foreau pleserus yn y British Museum yn chwilota a 'sgrifennu'r gwaith. Ni chanfu neb o'r beirniaid fod o leiaf rai darganfyddiadau newydd yn y gwaith. Cefais sioc o ryddhâd wrth weld cyfrol gan un o'r arbenigwyr blaenaf ym myd astudiaethau Joyceaidd yn fy rhestru ymhlith pobl fel Conolly – hyd yn oed Jung, a'r hyn a ddywed am fy nghyfraniad yw: "The first account of The House by the Churchyard in 'Finnegans Wake'".'

Ar Ymyl y Ddalen, Hydref 1979

116

117

116. *Y Tir Diffaith*

'Americanwr oedd Eliot a gwnaeth i Loegr gymwynas debyg i'r hyn a wnaed i Gymru gan Saunders Lewis, sef edrych ar Loegr o'r tu allan megis gyda llygaid beirniadol analytig, a thrwy hynny llwyddodd i ddiddyfnu ei llenorion oddi wrth lawer o'u plwyfoldeb a'u diddordebau adolesentaidd. Dysgodd iddi ei bod hi'n rhan o Ewrob, ac aeth ei hunan at ffynonellau estron am ysbrydiaeth ac adfywiad.'

Y Tir Diffaith

117. Saunders Lewis

'Nid yw Mr Lewis yn ysgolhaig, a'r troeon y bydd yn methu yn ei feirniadaeth yw'r troeon pan fo'n ceisio gwisgo mantell hwnnw. Crëwr, artist ydyw ac y mae'n dynesu at ffeithiau fel y crochenydd at y clai, gyda chynllun parod yn ei ben ac fe'i mowldia i'r patrwm hwnnw. Mae'n wir y bydd ambell ffaith yn anghyfleus o ystyfnig ond rhaid iddi gydymffurfio â'r patrwm neu fod allan. Y mae ar ei orau pan fydd yn dangos i ni odidogrwydd paragraff o ryddiaith, neu bennill o farddoniaeth neu ddarn o gywydd.'

Y Tir Diffaith

118

118.   Dylan Thomas

'Bydd yn anodd gan lawer, mae'n siwr, dderbyn y darlun o Dylan fel bardd crefyddol. A gaf fi ddweud yn syml fel hyn? O'r holl feirdd ac artistiaid a adnabum i, ef oedd y gwyleiddiaf un . . . Treuliais wythnos gyfan gydag ef, yn ei dywys yn y Gogledd adeg Eisteddfod Llangollen ac ni chlywais i air ganddo am lenyddiaeth na dim byd tebyg i hynny . . . Yn ei dro fe ddaeth i weld ei fod trwy ei alwedigaeth fel bardd (a galwedigaeth ydoedd, canys un wedi ei alw ydoedd) yn cyfranogi mewn rhyw ffordd cyfrin o briodoleddau'r Duwdod ei hun, ac mae ei waith pennaf felly oedd moliannu'r Creawdwr am ei Greadigaeth.'

Crwydro Sir Gâr

119

119.   Edward Mathews, Ewenni

'Un o'r bwriadau a ddryswyd gan salwch wedi f'ymddeoliad oedd ysgrifennu llyfr byr ar Edward Mathews Ewenni. Teimlais ers tro ei bod yn sarhâd arnom fel cenedl na fuasai un o'n beirniaid proffesiynol wedi ymgymryd â'r gwaith o wneud astudiaeth o gyfraniad Mathews, nid yn unig fel pregethwr mawr, ond hefyd fel llenor a gyfrannodd yn helaeth i ddiwylliant ein cenedl.
Cafodd Daniel Owen ei haeddiant, ac ni fydd neb yn gwarafun iddo astudiaethau fel eiddo Saunders Lewis a John Gwilym Jones. Ond dylid cofio bod Mathews yn ysgrifennu rhywbeth rhwng cofiant a nofel ymhell cyn cyhoeddi "Hunangofiant Rhys Lewis", ac mae'n llawn cyn bwysiced drych i'w gymdeithas ym Mro Morgannwg ag oedd Daniel Owen i'w gymdeithas yntau.'

Ar Ymyl y Ddalen,
Gorffennaf/Awst 1979

120

SYLWADAU

ANEIRIN TALFAN DAVIES

- Y BARDD O SWYDD DORSET
- Y DIWYGIAD METHODISTAIDD
  A'R LLYFR GWEDDI
- EIN HARGLWYDDES
- BEIRNIADAETH LENYDDOL
  A CHREFYDD
- Y BARDD YN Y THEATR
- EPLES Y FFYDD
- Y DEYRNAS GOLL
- Y BARDD A'R PEIRIANT
- Y GÂN A'R GYFRAITH
- Y GOEDEN EIRIN

GWASG ABERYSTWYTH

120.   'Cam dybryd yw tybio y gellir neshau at ddarn o lenyddiaeth neu farddoniaeth â rhyw safonau esthetig pur yn y meddwl, sy'n gwbl ar wahan i safonau moesol a sylfeini ysbrydol y darllenydd neu'r beirniad. Yn yr un modd hefyd cam yw tybio bod y llenor wrth ysgrifennu yn gwneud hynny chwaith. Y mae'r llenor neu'r bardd yn ysgrifennu er mwyn symud y darllenydd. Y mae am drosglwyddo rhywbeth i'r darllenydd sydd yn ei farn ef yn bwysig; ac y mae credoau, neu athroniaeth, neu grefydd neu agwedd meddwl y bardd yn sicr o gael ei drosglwyddo yng nghysgod y "pleser" esthetig a rydd ei waith iddo. Rhaid i'r darllenydd, gan hynny, fod yn fyw iawn i'r hyn y mae yn ei ddarllen os nad yw am gael ei gario i ffwrdd, a thrwy hynny dderbyn dylanwadau cudd heb yn wybod iddo'i hun. Po mwyaf y pleser mwyaf y perygl.'

Sylwadau

121.   Talacharn

'Dyn wedi'r cwbwl sy'n rhoi ystyr i fan a lle. A thrwy lygaid Dylan yn bennaf y medrwn ni feddiannu ysbryd y dref. Euthum allan un bore'n blygeiniol er mwyn ceisio dal y gyfaredd honno a fwriodd ef dros y dref fach gysyglyd ddi-arffordd hon. Yr oedd niwl neu law mân yn dod i mewn o'r môr yn union fel y gwelodd y bardd ef:

  "Pale rain over the dwindling harbour
    And over the sea wet church the size of a snail
    With its horns through mist and the castle
    Brown as owls." '

Crwydro Sir Gâr

121

122a

122b

122a/b   Trefflemin

'Pan ymwelais i â Threfflemin rai blynyddoedd yn ôl fe ddes i yma i
Gregory Farm i holi gwraig y fferm a oedd hi'n cofio rhywbeth am
Iolo – rhyw draddodiadau neu ryw storïau. "Dim," medde hi yn
blwmp ac yn blaen. Ac yna i ffwrdd â mi ar sgawt drwy'r pentref i
ffilmio, ac yna ar ôl dod yn ôl roedd y wraig ar garreg y drws ac yn fy
ngalw ati. A meddai hi, "Oddi ar pan fuoch chi yma rwy wedi cofio
un peth am Iolo Morganwg. Rwy'n cofio Mam-gu yn dweud fod 'na
gerflun o waith Iolo Morganwg ar fur y beudy yr ochor arall i'r
ffordd".
A dyma fynd ati. Gosod ysgol ar fur y beudy, merch y fferm yn mynd
i fyny a morthwylio blynyddoedd o wyngalch i ffwrdd ac yn y diwedd
fe ddaeth cerflun bychan i'r golwg.'

Arall Fyd, rhaglen deledu BBC

123

123. Capten Brown, Danny Rees, ac Aneirin.

Capten Brown, Danny Rees (peiriannydd y BBC) ac Aneirin pan aethon nhw ar y *trawler* o'r enw "The Stallberg" ar daith recordio i ynysoedd yr Orkneys.

124. Afon Swale

'Yr afon Swale yw hon ger Catterick a mae Syr Ifor Williams wedi dadlau mai Catterick yw'r hen Gatraeth y bu'r hen Frythoniaid yn ymladd ynddi ac a ddisgrifiwyd gan Aneirin yn Canu'r Gododdin. Nawr y mae Catraeth, Catterick a Cataractonium, yr hen enw ar y gaer Rufeinig sydd yno, yn tarddu o'r un gair Lladin "cataracta" (rhaeadr) ac felly mae Syr Ifor Williams yn ffyddiog yn lleoli Catraeth yn y man lle saif Catterick heddiw.'

'Ble Garech chi Fynd?', rhaglen deledu BBC

124

125

125. Castell Richmond

'Ydych chi wedi gweld safle mwy rhamantus i gastell na hwn? Y castell Cymreig sy'n dod i'm meddwl i ar unwaith yw Castell Carreg Cennen ar y bryn serth hwnnw, a'r llethrau'n sgubo i lawr i afon Cennen gerllaw. Nawr mae'r castell hwn wedi bod yma am ganrifoedd ond ychydig iawn o werth milwrol sydd iddo. Fe'i codwyd gan yr Iarll Alan o Lydaw yn y ddeuddegfed ganrif wedi dyfodiad y Normaniaid i Brydain a choncwest sydyn y Saeson. Mae wedi bod yn adfeilion oddi ar y bedwaredd ganrif ar ddeg.'

'Ble Garech chi Fynd?', rhaglen deledu BBC

126. Ei ymweliad â'r Cymundod o Frodyr Protestannaidd yn Taize ac yn sgwrsio â'r Brawd Jean-Paul.

'Deuthum o Taize wedi fy atgyfnerthu mewn corff, meddwl ac ysbryd. Y mae Taize fel dinas ar fryn, ac yn sicr y mae fel tŵr gobaith yn y byd cyfoes, a'i ddylanwad yn graddol ymestyn o wlad i wlad. Dydd y pethau bychain yw hi arni heddiw, ond pwy a ŵyr na fydd hanes y Cymundod hwn gyda'i frodyr yn etifeddion y Diwygiad Protestannaidd, yn foddion i ddwyn yr Eglwys at ei gilydd yn undeb cariad a chwlwm tangnefedd.'

Astudio Byd

127. Yn cyfarwyddo'r ffilm yn Taize gyda'r gŵr camera Barrie Thomas.

126

127

128. 'Moses' Michelangelo

'Dyn, wedi ei greu ar lun a delw Duw ei hun, oedd diddordeb pennaf Michelangelo. Dyn yw pinacl y greadigaeth, ac yn yr Ymgnawdoliad y rhoddwyd yr anrhydedd mwyaf arno. Y mae wyneb y Moses hwn yn disgleirio gan ddisgleirdeb gogoniant Duw, a golau fflamau'r berth sy'n llosgi heb ei difa. Y mae ei lygaid yn syllu'n syth i ganol y disgleirdeb hwnnw; y mae fel yn gweled yr anweledig. Hwn yw'r dyn a arweiniodd ei bobl o'r Aifft, trwy'r anialwch blin, gan lunio o grwydriaid gwrthnysig, genedl a feddiannodd y Ganan a oedd yn llifeirio o laeth a mêl.
Y mae cadernid Jehofa yng nghyhyrau praff y Moses hwn, ac y mae ei farf ystormus fel berw'r dyfroedd a gaeodd am yr Eifftiaid pan drawodd y Môr Coch â'i wialen.
Ac yn bennaf dim, dyma'r gŵr a fu ar fynydd Sinai yn siarad â Duw; ac er bod yma ofnadwyaeth, y mae yma, hefyd, drugaredd – y "nac ofnwch", a lefarodd Moses wrth ei bobl wedi iddo ddisgyn o'r mynydd. Ni fedraf fi fyth yngan yr enw Moses heb weld y graig hon a naddwyd yn Foses byw gan Michelangelo.'

Astudio Byd

129

130

129.   Yn Rhufain yn 1964 – yn golchi'i draed wrth bistyll bach ar ôl trampio trwy'r ddinas.

130.   P.H. Burton

'Clywais ddweud bod gradd newydd i'w chreu ym Mhrifysgol Cymru – BTA – Been to America! O'r diwedd dyma radd y medraf ei *hawlio!* Arhoswn gyda'm cyfaill Philip Burton, a fu ar staff y BBC yng Nghymru. Ar hyn o bryd y mae'n Gyfarwyddwr Academi Drama a Cherddoriaeth New York . . .
Er cyfaddef nad yw arhosiad byr mewn gwlad yn rhoi hawl i ddyn wneud gosodiadau ysgubol amdani, eto ni all dyn dreulio hyd yn oed amser byr yn yr Unol Daleithiau heb synhwyro rhywbeth o gyfrinach awyrgylch a naws y wlad a'i phobl. I mi, pobl sy'n ddiddorol, a threuliais lawer o'm hamser ar fy mhen fy hun yn crwydro strydoedd New York, yn eistedd yn ei thai bwyta, a'i thafarnau, yn gwylio'r bobl, yn gwrando ar eu hymgom, ac yn aml iawn yn ymuno â hwy yn yr ymddiddan.'

Astudio Byd

131

131. Oberammergau

'Yr haf diwethaf bûm ar ymweliad â thref brydferth Oberammergau, ac un o'r pethau a'm trawodd fwyaf am y dref brydferth honno oedd bod cymaint o'i phobl yn medru'r ddawn i gerfio coed; wedi ennill meistrolaeth rwydd ar gŷn a morthwyl; ac wrth eu gwylio wrth eu gwaith yr oedd yn ymddangos yn blentynnaidd o hawdd, hyd nes i ddyn gofio bod canrifoedd o draddodiad y tu cefn i'r crefftwyr hyn. Yr oeddynt yn artistiaid wrth reddf. Yr un reddf ag sy'n cyniwair ym mynwes yr artist – y reddf i osod trefn ar bethau; dwyn trefn allan o anhrefn – yr un rddef yn union a fu'n gweithio yn yr Eglwys, i osod trefn ar brofiadau'r saint; i lunio cyfrwng gweddus, urddasol i addoli'r Duw Hollalluog, creawdwr nef a daear.'

Astudio Byd

132.   'Iaith yw cof cenedl. Tra bo'r Gymraeg yn ffynnu y mae gan y genedl fantais bod ei thraddodiad yn ddi-dor, ac fe allwn honni'n ffyddiog mai ynddi hi y trysorwyd traddodiad y genedl ar hyd y canrifoedd. Ond wedi dweud hynny y mae'n rhaid i ni gofio bod mwyafrif mawr a llethol yn ddi-Gymraeg, a rhaid i ni ofalu rhag di-freinio'r mwyafrif hwn ar dir iaith.
Rhaid i'r cam cyntaf ddod oddi wrthym ni. Oherwydd wedi'r cwbwl, oni allwn ni ennill cydymdeimlad y bobl hyn, eu gwefreiddio â gweledigaeth o Gymru unedig, wedi ei seilio ar draddodiad maith a di-dor ei gorffennol – yna ofer fydd pob brwydro – fe syrth y "Maginot Line".'

Ar Ymyl y Ddalen, Medi 1966

132

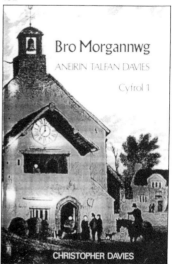

133

133.   Traddodi ei anerchiad yn Llywydd y Dydd yn Eisteddfod
Genedlaethol Aberafan 1966.

'Fe elwais i am ddeialog rhwng y Cymry Cymraeg a'r di-Gymraeg.
Amhosibl ebr yr Athro J.R. Jones. Wrth gwrs, mi fyddai ef, rwy'n
meddwl, yn gwadu'r teitl "Cymro" i un na fedrai'r iaith, oherwydd
fod yr iaith wedi creu wal ddi-adlam rhyngom . . .
"Lle bu'r Gymraeg a'r di-Gymraeg yn y cwestiwn felly," ebr ef "ni
eill bod deialog 'rhwng' dwy iaith". Cytunaf, ond gyda phob parch,
nid ieithoedd sy'n cyfathrebu, ond personau. Rwy'n ofni mai dadl
athronydd yn ei gell yw dadl o'r fath. Os nad oes cyfathrach fywiol yn
bosibl rhwng y Cymry Cymraeg a'r di-Gymraeg, yna fe allwn roi'r
ffidil yn y to y funud hon . . .
Nid yw'n syndod yn y byd ei fod ef yn defnyddio geiriau athronydd
Almaenaidd, Fichte, lladmerydd cenedlaetholdeb Prwsia, a
lladmerydd, ebr rhai, cenedlaetholdeb wyrgam y Natsïaid, wrth fy
rhybuddio i a'm bath i gadw draw rhag brwydr yr iaith . . .
Yr unig ateb i eiriau Fichte sy'n ei gynnig ei hun i mi yw geiriau
Pantycelyn:

　"Yn y rhyfel mi arhosaf
　　Yn y rhyfel mae fy lle!" '

Darlith Flynyddol BBC Cymru, 1972

134

134. Caradog Evans

'Pe bawn i'n medru cytuno â'r gosodiad ei fod yn bosibl sgrifennu am fywyd *Cymraeg* mewn Saesneg, mi fyddwn yn ddyn eithriadol o hapus, oherwydd byddwn felly'n gwybod nad oes fawr bwynt yn yr holl fustachu, ie a'r holl chwerwedd yr ydym wedi ei dynghedu iddo wrth geisio cadw'r Gymraeg yn fyw. Mi fyddwn yn hapus yn y wybodaeth y gellid cadw'r cwbwl o'r gogoniant a'r glendid a fu yng nghostrelau newydd yr iaith Saesneg. Am fy mod yn gwybod nad gwir hynny daliaf i gredu nad gwastraff amser yw ymboeni am dynged yr iaith, a chwilio pob ffordd i'w swcro a'i hymgeleddu. Mewn rhyw ffordd ryfedd iawn cydnabod hynny a wna Caradog Evans ac eraill o'r Eingl-Gymry a'i dilynodd. Ymwybod â chyfrinach wrthnysig iaith a wna'r brodyr hyn wrth geisio chwilio rhywbeth nad yw'n Saesneg i gyfleu "ffordd o fyw" sy'n hŷn na'r iaith honno. Y maent drwy hynny yn rhoi bri ar y Gymraeg.'

Astudio Byd

135

GWŶR LLÊN

*Ysgrifau beirniadol ar weithiau
deuddeg gŵr llên cyfoes
ynghyd â'u darluniau*

wedi'u golygu gan

ANEIRIN TALFAN DAVIES

135. *Gwŷr Llên*

'Ni cheir cenedl iach os caeir hi y tu mewn i'w ffiniau a heb fod ganddi gysylltiad na chyfathrach o gwbwl â chenhedloedd y tu allan. Y mae gan Gymru un peth o leiaf sydd yn gyffredin i Ewrob gyfan – ei thraddodiad Cristnogol, a'r holl bethau sy'n gysylltiedig â'r traddodiad hwnnw . . . Tybed nad yw hi'n bryd i ni bellach chwilio moddion a'n dwg i gyfathrach â llenorion gwledydd eraill heblaw Lloegr? Dyma waith y gallai'r Eisteddfod Genedlaethol ei wneuthur yn lle chwarae â chodi gorseddau hynafiaethol ar hyd a lled y gwledydd Celtig a ffolinebau o'r fath.'

Gwŷr Llên, Rhagymadrodd

136

137

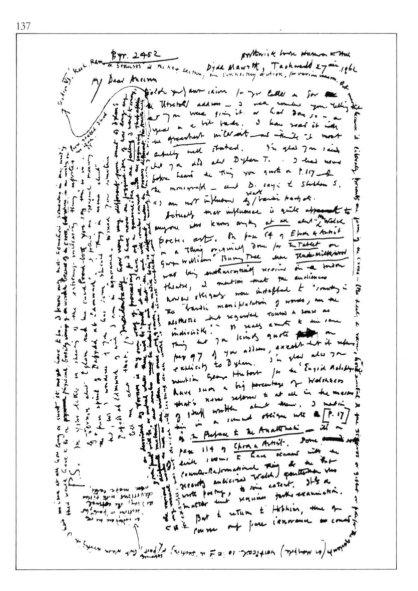

136.   Yn paratoi i annerch y gwrandawyr wrth agor Pabell Lên Eisteddfod Genedlaethol Bro Myrddin yn 1974. Wrth y bwrdd hefyd, o'r chwith i'r dde – Turner Evans, Aneirin Jenkins Jones a Norah Isaac.

"Rwy am ofyn cwestiwn: onid yw'n bryd i'r Eisteddfod feddwl am ryw fodd creadigol o agosáu at ein cyd-Gymry di-Gymraeg "heb unrhyw fodd wanhau Cymreigrwydd yr Eisteddfod"? Rheol Gymraeg – o'r gore – ond peth negyddol yw rheol felly ar ei phen ei hun. Os yw Cymru i barhau'n genedl, ac nid yn ieuad anghymarus o ddwy genedl, yna bydd yn rhaid i ni weithredu mewn modd creadigol er mwyn cadw'r Cymry di-Gymraeg o fewn cyrraedd tân yr aelwyd Gymraeg.'

Ar Ymyl y Ddalen, Medi 1966

138

NADOLIG

DAN·IE·SERCH·YNOM·A·
ACCENDAT
IN·NOBIS
DOMINVS
IGNEM·SVI
AMORIS·ET
FLAMMAM
ÆTERNÆ
CARITATIS
AIDFLAME·FOR·SOLSTICENIGHT

MCMLXI

137.   Enghraifft o'r math o lythyrau a anfonai David Jones at Aneirin.

Letters to a Friend

138.   Bu Aneirin yn trafod yr arysgrifen yma yn fanwl gyda'r awdur. Dyma ran o ateb David Jones i sylwadau Aneirin ar y gwaith.

Nadolig 1961

The Latin of the main part of the inscription is what the celebrant says while he's censing the altar [at] the Offertory at Mass: "May the Lord kindle in us the fire of his love and the flame of eternal charity".
The Welsh round the margin, is, as you see, a literal translation of the Latin words. The bit in English at the bottom is because chaps used to light 'aid-fires' or 'aid-flames' at the Winter Solstice (Dec. 21st.) and also at any time when they were in distress.

(R) Northwick Lodge
Harrow on the Hill
Xmas Day 1961.

(G) With love & all good wishes to you both – sorry it's so late but I've been having an awful cold. Do hope Mari's a bit better.

Blwyddyn Newydd Dda

Dafydd

P.S. (R) I read with much interest & approval the thing you wrote in the Western Mail a week or so back – Very good indeed, I thought – very clearly expressed. D

139

140

139.   Vernon Watkins

'Er mai Saesneg yw iaith Vernon
Watkins, a llawer tebyg iddo, eto y
maent yn synio amdanynt eu
hunain fel Cymry, ac y mae
perffaith hawl ganddynt i wneud
hynny. Cymru yw'r wlad y'u
ganwyd iddi. Y mae'r Abertawe y
cân Vernon Watkins ei gerddi o
fawl iddi, yn gymaint rhan o
Gymru ag Aberdaron neu Bethel,
Arfon. Mwy na hynny, bodlonodd
Vernon Watkins ar fyw yn
Abertawe. Nid hiraeth amdani
sy'n ysgogi ei awen ef, ond cariad
tuag at y dref, a balchder ynddi:
   "Prouder cities rise through the
      haze of time,
    Yet, unenvious, all men have
      found is here,
    Here is the loitering marvel
    Feeding artists with all they
      know" '

Astudio Byd

140.   Rhys Davies

'Plentyn y Rhondda ydoedd hyd y
diwedd, a'r Rhondda yw cefndir y
rhan fwyaf o'i gynnyrch. Y tro
diwethaf y'i gwelais oedd pan
euthum i alw arno yn ei fflat yn
Russell Square, lle bu byw ar hyd
y blynyddoedd, a minnau newydd
ddod allan o Ysbyty St Pancras, lle
bu ef farw ar Awst 21 '78. Y peth
cyntaf a wnaeth Rhys wedi fy rhoi
i eistedd yn esmwyth, oedd agor
potel o siampaen; a dyna lle buom
am oriau yn siarad am hyn a'r llall
ac yn enwedig am y sefyllfa yng
Nghymru. Yr oedd Rhys yn ŵr
addfwyn, a'i lais yn llifo'n dyner-
esmwyth fel dŵr dros garreg lefn
mewn afon lonydd. Ni chlywais ef
erioed yn lladd ar neb. Roedd yn
ŵr caredig ac yn barod i
gynorthwyo unrhyw un hyd y
gallai.'

Ar Ymyl y Ddalen, Hydref 1978

141.

141.   Glyn Jones

'O dipyn i beth mae'r gagendor
rhwng y beirdd a'r llenorion
Cymraeg a di-Gymraeg yn lleihau
ac ryn ni'n fwy parod nag yr
oeddem i wrando ar ein gilydd. O
ran hynny, Cymry Cymraeg yw
nifer o'r awduron sydd heddiw yn
defnyddio'r Saesneg fel cyfrwng
eu creadigaethau – gwŷr megis
R.S. Thomas, Glyn Jones, Emyr
Humphreys, i enwi dim ond tri.
Fe fu gan yr Academi Gymreig ran
mewn dwyn y ddwy garfan at ei
gilydd. O dipyn i beth credaf fod y
beirdd a'r llenorion di-Gymraeg
yn ymddiddori fwyfwy yn y
traddodiad llenyddol Cymraeg. Da
yw hynny oherwydd y mae perygl
i Gymru ymgaledu'n ddwy
genedl. Y ffaith yw y bydd
gennym ni Gymry'n ysgrifennu
yn Saesneg am yn hir eto ac mae'n
bwysig eu bod yn cael eu
gwreiddio yn hanes a
thraddodiadau Cymru.'

Ar Ymyl y Ddalen, Awst 1972

142

142. Idris Davies

'Deuthum i adnabod Idris gyntaf yn y tri degau trwy fy nghyfaill William Griffiths a oedd ar y pryd yn oruchwyliwr adran Gymraeg siop lyfrau Foyle's yn Charring Cross Road, Llundain.
Roedd Idris yn Gymro i'r carn, ac edmygai gerddi gwlatgar W.B. Yeats yn ogystal â'i gerddi Tir-na'n-Ogaidd.
Un o'i arwyr oedd Saunders Lewis a cheir cerdd ddi-ddyddiad iddo yn *Collected Poems*:

Though some may cavil at his creed
And others mock his Celtic ire
No Welshman loyal to his breed
Forget this prophet dared the fire,
And roused his land by word and deed
Against Philistia and her fire.'

Ar Ymyl y Ddalen, Awst 1972

143

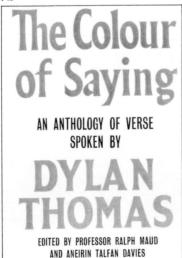

The Colour of Saying
AN ANTHOLOGY OF VERSE SPOKEN BY
DYLAN THOMAS
EDITED BY PROFESSOR RALPH MAUD AND ANEIRIN TALFAN DAVIES

143. *The Colour of Saying*

'Hyd yn oed a chofio diffygion y gyfundrefn addysg yng Nghymru, nid yw dylanwad y traddodiad Saesneg ar feirdd Cymru yn beth i ryfeddu ato, ac nid oes fawr o ddiben mewn wylo dagrau dros y ffaith. Yr hyn sy'n bwysig inni heddiw yw cadw cenedlaethau'r dyfodol yn dynn wrth eu gwreiddiau. Os bydd boncyff ein Cymreictod yn iach, a'r gwreiddiau yn ddwfn yn ein tir, ni fydd llawer o niwed mewn gweld ambell gangen ddieithr yn cael ei himpio ar y pren Cymreig ac yn dwyn ffrwyth o'r impiad. Nid yw traddodiad un genedl yn hunan-ddigonol. Yr hyn y mae'n rhaid i ni ymladd drosto yw tegwch â'r traddodiad Cymraeg yn holl adrannau ein bywyd.'

Ar Ymyl y Ddalen, Awst 1975

144

145

144.   Plas yr Esgob, Abergwili

'Ar fore oer o Ionawr 1944 ymlwybrodd Gwenallt a minnau tua Phlas
Abergwili i dderbyn Bedydd Esgob dan ddwylo'r Archesgob Prosser.
Yr oedd yn fore i'w gofio. Ond nid yn ddi-baratoad, nac heb
ymddygnu gydag athrawiaethau a chredoau'r Llyfr Gweddi Gyffredin,
a ymgorfforai reolau ffydd a buchedd yr Eglwys yng Nghymru y
daethom ein dau i'r fan yma.'

Ar Ymyl y Ddalen, Chwefror 1969

145.   Aneirin fel darllenydd lleyg yn cynorthwyo ficer Eglwys Dewi
Sant, Caerdydd yng ngwasanaethau'r 'Flwyddyn Eglwysig'.

'Cerrig milltir ar lwybr y Cristion sy'n ymdrechu i fyw ei fywyd yn y
byd yw'r "Flwyddyn Eglwysig", ac o'u defnyddio yn iawn gallant fod
o fudd a bendith, ac yn foddion disgyblaeth iddo.'

Ar Ymyl y Ddalen, Gorffennaf 1968

146a

AWSTIN A MONICA

ANEIRIN TALFAN DAVIES

Ad-argraffwyd o *Yr Haul a'r Gangell*, Rhif xxx, Haf 1966

146b

EDITION ONE
for
Voice & Piano

Halltach na heli nawmor
(Salter than salt of the ocean) in g min

Andante (♩ = 60)

Hall - tach na he - li naw - mor.
Salt - er than salt of the o - cean.

Rhe - dai fy na - grau'n lli.
Bit - ter my tears flow free.

Yn a - berth cym - er - ad - wy   O
For sor - row and de - vo - tion.   O

146a/b   'Awstin a Monica'

'Yn y libreto hon a sgrifennwyd ar gais Mansel Thomas, ceisiais awgrymu – dyna'r unig beth y gall dyn ei wneud mewn cwmpas byr – rai o nodweddion ei gymeriad ef, a'i fam, gan ddefnyddio, gan mwyaf, eu geiriau hwy eu hunain. Faint o sylw a delir i ŵyl y Sant yma gan yr Eglwys yng Nghymru? Y mae lle iddo yng nghalendr y Llyfr Gweddi. Awgrymaf y gellid gwneud darlleniad dramatig o'r geiriau hyn, yn yr eglwys ar ddydd ei ŵyl, ac y mae perffaith ryddid i'r neb a fynn wneud hynny, ddefnyddio'r libreto hon.

Rhagair

Darn o aria allan o 'Awstin a Monica', ac a berfformiwyd fel darn unigol mewn 'Cyngerdd o Gerddoriaeth Siambr gan Gyfansoddwyr Cymreig', yn y Deml Heddwch, Caerdydd, ddydd Sadwrn, 9 Mai, 1959 – achlysur Pumed Gyngres Flynyddol y Gymdeithas er Hyrwyddo Cerddoriaeth Gymreig – cymdeithas y bu Aneirin yn gadeirydd arni.

147

148

147. Wyneb-ddalen Molawd Pantycelyn y bu Aneirin ac Arwel Hughes yn cydweithio arno. Cyflwynwyd y gwaith 'Er Cof Annwyl am Owen Talfan Davies – Llewyrched arno oleuni'n wastadol'.

148. Cydweithiodd Aneirin ac Arwel hefyd ar oratorio arall – 'Dewi Sant'.

149

149. Aneirin yn holi'r Dr Martyn Lloyd Jones yn ei gyfres deledu boblogaidd 'Dylanwadau'.

'Mewn un ystyr yr wyf yn dyheu am weld diflaniad Ymneilltuaeth; yn union yr un modd yr wyf yn dyheu am weld diflaniad Anglicaniaeth a Phabyddiaeth. Yn wir a oes raid i Ymneilltuaeth wegian am fod rhyw ddau neu dri o lenorion yn ei theimlo yn anghenraid arnynt ymuno â'r Eglwys yng Nghymru? A oes raid cyhuddo'r beirniaid hyn o ragfarn? A yw didwylledd yn fonopoli i'r Piwritaniaid? Ac a yw popeth a ddywedir gan y lleill yn codi oddi ar ragfarn?'

Ar Ymyl y Ddalen, Rhagfyr 1962

150

150.   Williams Pantycelyn

'Un o drasedïau mawr y ganrif [y ddeunawfed] yw i'r Eglwys fethu â harneisio nwyd dymhestlog a gallu trefniadol gŵr fel Howell Harris. Beth fyddai hanes y Diwygiad pe bai gan yr Eglwys yn y cyfnod hwnnw esgobion a fyddai'n barod i ordeinio gwŷr fel Howell Harris, a Williams Pantycelyn? Efallai y byddai Cymru wedi osgoi'r rhwyg a ddaeth yn 1811.'

Astudio Byd

151.   Howell Harris

'Digon yw dweud yma fod y Seiat fel y'i bwriedwyd gan Howell Harris a Phantycelyn yn un â thraddodiad y Llyfr Gweddi ac yn "antidote" ar gyfer y teimladrwydd ewynnog sydd mor barod i amgylchu diwygiadau crefyddol. Ys dywed Pantycelyn yn ei farwnad i Howell Harris:

"Cans mae 'fengyl heb un gyfraith
  Hwyl heb unrhyw gerrydd syn
  Os yw'n peri i'r egin dyfu
  Yn rhoi hyfryd faeth i'r chwyn".'

Astudio Byd

'Elfen arall sy'n esbonio ymlyniad Harris wrth y Fam Eglwys oedd ei gred di-ysgog yn rhinwedd yr ordinhadau sacramentaidd, ac yn arbennig sacrament y Cymun bendigaid. Er na allai gymeradwyo buchedd llawer o'i weinidogion eto mynnai ei bod yn ddyletswydd ar eu haelodau fynychu'r sacrament, gan dystio nad oedd eu rhinwedd yn dibynnu ar fuchedd yr offeiriad. Dyna'r gwrthwyneb i'r grêd Biwritanaidd.'

Ar Ymyl y Ddalen, Mawrth 1966

152.   'Ni ellir deall barddoniaeth Dylan heb yn gyntaf ddeall paradocsau bywyd a byw – a deall hefyd gywely mor agos yw ffydd ac anghrediniaeth:

"And this is true, no man can live
  Who does not bury god in a deep grave
  And then raise up the skeleton again,
  No man who does not break and make,
  Who in the bones finds not new faith,
  Lends not flesh to ribs and neck
  Who does not break and make his final faith."

Nid oedd Dylan wedi cyrraedd ei ugain oed pan sgrifennodd y geiriau hyn. Ys dywed Gabriel Marcel "Nid problem i'w datrys yw bywyd ond dirgelwch i'w brofi". A barddoniaeth y profi yw barddoniaeth Dylan Thomas.'

Ar Ymyl y Ddalen, Mehefin 1968

151

152

I: **Dylan:**
Druid of the
Broken Body

An Assessment of
DYLAN THOMAS
as a Religious Poet

Aneirin Talfan Davies